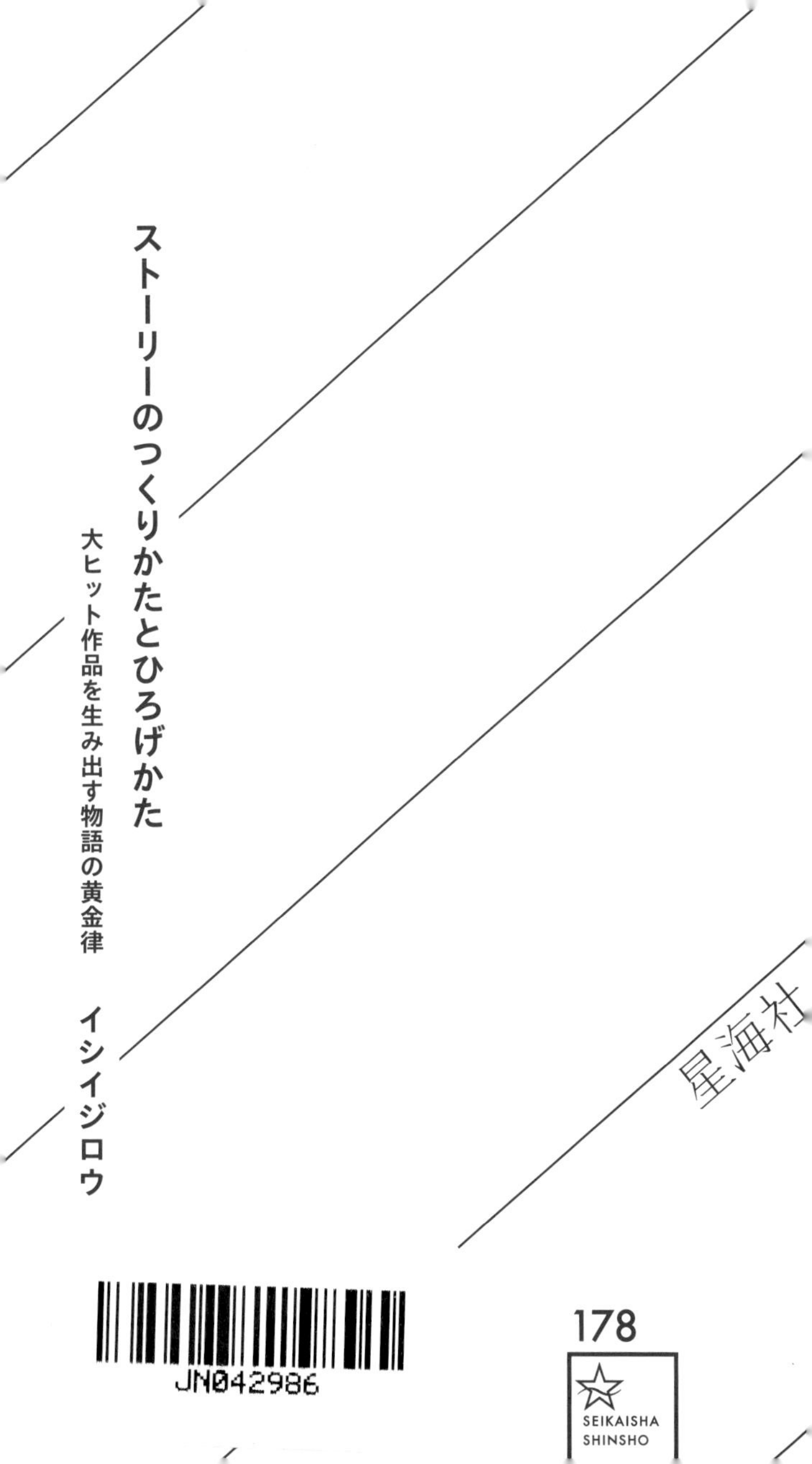

ストーリーのつくりかたとひろげかた

大ヒット作品を生み出す物語の黄金律

イシイジロウ

星海社

178
SEIKAISHA SHINSHO

なぜシナリオライターでもない僕がストーリーのノウハウを語るのか

本書は、ストーリーのノウハウを記したものである。こうした本は小説家やシナリオライターとして実績を持つ人が書いていることが多いだろう。だが僕はクリエイターとして、小説やシナリオを書くことを専業としているわけではない。なぜそのような人間が、ストーリーについてのノウハウを語るのか？

僕のデビュー作となったゲーム『イミテーションシティ』や、『MA-RI-A 人形館の呪い』、『Little Lovers』シリーズといった作品などでは僕自身が筆を執っているので、厳密にいえば、僕自身がシナリオを自分で書いていた時期もあった。だが、二〇〇四年の『3年B組金八先生 伝説の教壇に立て！』をきっかけにディレクター専業となり、あえてシナリオからは一歩引いた立場となった。詳しい理由は第1章で語ることになるが、映画監督の黒澤明作品からの影響である。

そうした結果、『3年B組金八先生 伝説の教壇に立て!』や『428 ~封鎖された渋谷で~』のシナリオは大変評価されることになった。僕がそこで何をやったのかというと「チーム全体でシナリオの品質を上げる」ということに徹したのである。本書の前半で説くことは、まさにそこである。もちろんシナリオライター個人が本書を読んでも参考になる部分があると思うし、そういった立場の人からでも「ディレクターやプロデューサーが、シナリオについてどのように考えているのか」といった視点を本書で感じていただけると思う。

僕は現在、ゲームディレクター、プロデューサー、世界観監修、ストーリー構成が仕事の中心になっている。シナリオの基礎を作ったり、シナリオライターが書いたものを監修する立場だ。僕はこうした立場であるからこそ、小説家やシナリオライターの人たちが書いている既存のノウハウ本とは違う視点のことが書けるはずだ。たとえば後でも簡単に紹介するが、最終章の第4章では、そのノウハウが行き着いた先、未来のストーリーのイノベーションについても記している。なぜなら未来ではAIがストーリーを紡(つむ)いでいる可能性があるからだ。そうしたときに、創り手はどのようにストーリーと向き合えばいいのか。こうしたことは他のノウハウ本にはない視点だと思っている。

それぞれの現場のノウハウはバラバラ

僕はエンターテインメント業界では特殊な立ち位置にいる。ビデオゲームのクリエイターのみならず、映画、舞台、アニメーション、TVドラマ、マンガ原作、アナログゲーム、人狼(じんろう)ゲームイベントの主催、ビデオ通話サービス「Ｚｏｏｍ」を使ったまったく新しい体験型演劇など、さまざまなプロジェクトに参加してきた。また昨年には『ＩＰのつくりかたとひろげかた』という自著を出すこともできた。本書を執筆しているタイミングでも、ここまで挙げてきたものとはまったく違う、異色のプロジェクトが複数にわたって進行中だ。さまざまなメディアをここまで横断して経験したクリエイターは、日本でも数えるくらいしかいないと自負している。

そして、さまざまな現場に参加したからこそわかるのだが、ストーリーのノウハウはそれぞれにバラバラである。もちろん、その現場にはその現場なりの考え方があって、独自のノウハウを使っている。だが、こうしたプロジェクトの多くは集団作業である。個人の才能はもちろん、最終的にはチーム全体のクオリティを上げることが求められる。小説やマンガといった個人の要素が強いクリエイティブであっても、編集者との関係が重要なはずだ。

だからこそストーリーの作り方、文法を共有することが重要になってくる。実際、僕はプロジェクトによっては必要があったら「このノウハウを、このストーリーに使うのはどうですか」という提案をすることがある。そうすることでストーリーのクオリティをチーム全体で上げられるからだ。

まずは映画のノウハウを理解するのが大事

僕の主戦場はビデオゲームと映像作品である。幼少からアニメや映画が好きで、その後、広告業界で映像作りを学び、ゲーム業界に入ったこともあって、映画とゲームのストーリーの違いとは何かに向き合ってきた。

エンターテインメントの分野で、ストーリーのノウハウがもっとも蓄積されているのはハリウッド映画のシナリオ作りだ。その理由は映画への投資が盛んで、シナリオがその投資対象であるからだ。投資を受けるためには売れるシナリオのノウハウが科学的に分析されなければならない。だが、そのノウハウをそのままビデオゲームに転用しても上手くはいかない。ビデオゲームでも家庭用ゲーム機に代表されるような売り切り型、スマートフォン向けに展開するような運営型では、それぞれのストーリーのフォーマットが違う。またゲームには主人公という存在以外にも、プレイヤーがいることも忘れてはならない。この違いをまず理解しておかないと、ゲームのストーリー作りのノウハウは共有できない。こうした「それぞれのメディアの主人公の違いとは何か」を僕なりに言語化し、整理することを本書では試みている。

もちろんストーリー作りに一〇〇パーセントの正解はない。だが、ゼロからノウハウを確立するよりも、すでにある映画のノウハウを応用するほうが、クオリティが高い作品にまで最短距離で走りきることができるはずだ。

本書の構成

本書の第1章や第2章は、まず基本的な映画のノウハウを知らない人のために「リライティング」、「三幕構成」、「15のビート」、「感情曲線」について書いている。そしてそれらのノウハウをどのように抽出すれば他のメディアに横断して使うことができるのかを僕なりに解説をした。こうしたことは既存のノウハウ本でも書かれているので、すでに習熟している人は読み飛ばしてもらっても構わない。

だが、僕としては「そんなことすでに知ってるよ」という人も、おさらいとして読んでみて欲しい。僕がこだわったのはマーベル映画の『アイアンマン』や、新海誠監督の『君の名は。』という近年のメジャーな大ヒット映画をストーリー的に分析したことだ。

既存のストーリーのノウハウ本を見比べて思ったのだが、日本人が書いたノウハウ本には特定の作品を分析したものが少ない。一方で海外のノウハウ本には作品の分析が書かれているのだが、しばしば古典的な作品が選ばれて分析されていたりする。たとえば本書でも取り上げることになるシナリオのノウハウ本の聖典、シド・フィールドの『映画を書くためにあなたがしなくてはならないこと　シド・フィールドの脚本術』では、原著が一九七九年刊ということもあり、一九七四年の映画『チャイナタウン』が分析されている。確かに『チャイナタウン』は名作だし、それを分析することは、とてもシナリオの勉強になる。だが、映画のテンポや現在的な視点でみたときに、どうしても一昔前の作品であることが拭えない。日本人からすると『チャイナタウン』を観賞しながら、そのシナリオ構成の分析を読んでも、いまいちシナリオの極意を会得した気にはなれないのではないだろうか。僕が『アイアンマン』や『君の名は。』にこだわったのは、この二つの作品はエンターテインメント映画として見事であるばかりか、いまだに記憶に新しい近年の作品だからだ。おそらく本書を手に取る前に、観賞済みの人がほとんどではないだろうか。手に入りやすく、すんなりと観やすい映画でもあるので、これらの作品を観賞しながら僕が書いたシナリオ分析を読んでもらうと、きっとシナリオの基礎が身に付くはずだ。

僕がゲームディレクターとして重要視しているのは「リライティング」というノウハウである。第1章ではこの「リライティング」の重要性について詳しく触れる。映画の基本的な文法である「三幕構成」を確認し、それを『アイアンマン』に適用して分析することによって、このノウハウがいまだに有効であることがわかってもらえるだろう。

その上で第2章では、「主人公とは何か」ということに迫る。映画とビデオゲームの主人公の違いとは何か。それによってどのようにストーリーの語り方が変わっていくのか。ストーリー作りを主人公という視点に置くときに有効なのが「感情曲線」だ。この「感情曲線」という言葉を有名にした作品でもある『君の名は。』を分析しながら、主人公と感情曲線の関係性について考えてみたい。

ビデオゲームについて思索する

さて、ここまでが基礎であり、第3章以降は応用編である。だが僕の「応用編」は既存のノウハウ本とは違う。既存の本ならば「主人公の葛藤の原因は何ですか。それを思いつく限り書き出しなさい」といった色々な質問が用意されていて、それに対して読者が作文をすることが推奨されるかもしれない。もしくは穴ぼこになっている展開の文章を、読者が埋めていくのもあり得るだろう。

だが本書の応用編は、まずミステリーというジャンルについて考えて、次にビデオゲームについての思索を深めていく。なぜ映画のノウハウの基礎を学んだ後、応用編としてミステリーとビデオゲームのストーリーを位置づけるのか。

三幕構成や感情曲線といった脚本術と同じく、ミステリーは論理的にライティングすることが求められる。この本ではストーリーをエモーショナルに書くことよりも、まず論理的に書くことを推奨している。その上でミステリーを解剖していくと、読者のミステリーに対する欲求は二種類に分けられるだろう。その二種類のミステリーの方向性を知ることが大切だと考えている。また現在のエンターテインメントではミステリーというのは、ほとんど空気のように当たり前の存在になっているからだ。仮にその作品がミステリーと名乗っていなくても、謎を解いたり、ミステリーの要素は含まれている。たとえば第2章で取り上げる『君の名は。』もミステリーの要素が含まれている。ミステリーが主軸ではないジャンルであっても、つねにミステリー要素を意識することで現在的な面白さが担保されるのだ。

そしてビデオゲームのストーリーについて考えることは、これからの時代、ビデオゲームの枠を飛び越えてすべてのジャンルのストーリー作りにおいて重要になっていくと考えている。たとえばストーリーが絶賛された海外ドラマ『ウエストワールド』、トム・クルーズ主演の映画『オール・ユー・ニード・イズ・キル』（原作は桜坂洋（さくらざかひろし）さんの小説『All You Need Is Kill』）、コメディ映画として傑作だった『ジュマンジ：ウェルカム・トゥ・ジャングル』、そして大ヒットを記録した『魔法少女まどか☆マギカ』などの作品のストーリー構成は、ビデオゲームの経験抜きに考えられない。僕自身、ビデオゲームのストーリーはまだまだ可能性があると考えているが、映画とビデオゲームの違いに着目していくと、新しいストーリーテリングの知見が生まれてくるはずだ。

こうした問題意識をもとに、第3章ではミステリーの思索を深めつつ、近年、注目を浴びている『リアル脱出ゲーム』[*1]や「マーダーミステリー」といったビデオゲームではない新しいミステリーのアナログゲームを紹介したい。こうしたジャンルが生み出す新しいス

*1 リアル脱出ゲームはSCRAPの登録商標です

トーリーテリングは、まだビデオゲームや他のドラマや舞台などにはフィードバックはされていないが、新しいストーリーの形であることは間違いないだろう。

また僕自身が原作として関わった作品として、ＮＨＫで放送された視聴者参加型ミステリー『謎解きＬＩＶＥ』の『ＣＡＴＳと蘇ったモリアーティ』、脚本・企画協力したＺｏｏｍ体験型演劇『Inside Theater』シリーズのvol.1『SECRET CASINO』についてもネタバレありきで触れてみたい。『ＣＡＴＳと蘇ったモリアーティ』は、あの当時の一度きりの放送のため、現在では観賞することができない作品だ。Ｚｏｏｍを用いた体験型演劇『SECRET CASINO』は二〇二〇年十一月に千秋楽を迎えている。現在も好評のため再演が繰り返されているが、後世のためにどういった作品だったのか記録に残しておくことは大事だと考えて収録した。特に『SECRET CASINO』は、まったく新しい表現まで踏み込むことができたので、僕自身は近年の代表作だと位置づけている。『ＣＡＴＳと蘇ったモリアーティ』にしろ『SECRET CASINO』にしろ、インタビューを受けて作品を紹介したことはあるが、その具体的な内容にまでは踏み込んでいない。だが本書ならば、ネタバレ込みで語ることができるだろう。こういった作品はビデオゲームではないが、僕なりに新しいストーリーを作ろうと切磋琢磨したもので、具体的にビデオゲームの経験を入れることとは何か、ということのヒントになれば幸いだ。

ビデオゲームは物語作りの最先端

もともと僕は幼少期からアニメに夢中だったこともあり、映画やアニメに比べて、ビデオゲームは表現として一段劣っていたものと捉えていた時期があった。しかし九〇年代初頭、さまざまなビデオゲームを通じて、この新しいメディアのストーリーテリングの特殊性に気付き、僕はゲーム開発に夢中になっていった。この特殊性とは、端的にいえば「ループもの」や「メタフィクション」なのだが、そういったことは僕だけが気付いていたことではなく、九〇年代後半にかけて、さまざまなゲームクリエイターが同時多発的に試みていた。二〇〇〇年代にはそれがメインストリームとして花開いている。

こうした九〇年代から持っていた僕の問題意識を集積した記事がある。それがゲームWebメディア「4Gamer.net」に掲載されている「イシイジロウ氏ら第一線で活躍するクリエイターがアドベンチャーゲームを語り尽くす！——『弟切草（おとぎりそう）』『かまいたちの夜』からはじまった僕らのアドベンチャーゲーム開発史」という座談会記事である。第4章ではここで僕が語ったことを改めて語り直しつつ、その内容のアップデートを試みたい。

この記事は二〇一三年に掲載されたものだが、SNSでは今でも記事を読んでくれた人が「すごく面白い」とたびたび反応してくれる、とても息の長い記事だ。ただし内容はボリューミーで難解。アドベンチャーゲームの分野の第一線で活躍するゲームクリエイターが一堂に会した記念碑的な記事なのだが、それゆえ発言者が多かったため重要なテーマが散り散りになっていることは否めない。

いったい僕がそこで何を語ったのか。たとえば「フローチャート論からのアドベンチャーゲームの分類」、「悲劇が描けないストーリーゲームの原理」、「未来をセーブ」、「四次元タイムチャート」、「僕からみた九〇年代後半の物語づくりをしていたゲームクリエイターの問題意識」という内容である。今回はそういったテーマを分解、深掘りしながら改めて語り直して、読者への理解を促したい。こうした内容から、たとえビデオゲームに馴染みがない人にも、そのストーリーテリングの魅力が浮かび上がってくるはずだ。

これからの物語の可能性

第4章の後半では、第1章や第2章で語った「ストーリーのノウハウ」と、第3章や第4章前半で語った「ビデオゲームの特殊性」がプログラムによって統合された結果、ビデオゲームが「奇跡的な物語」を手に入れるという未来のビジョンを記す。

僕は九〇年代後半に「メタフィクション要素があるループもの」という、二〇〇〇年代に高い評価を得ることになるアドベンチャーゲームの特徴を捉えたゲームをすでに企画していた。このことは第4章で詳しく語るつもりだ。だがそれは実現できず、その後、同じ問題意識を持った他のクリエイターが作った素晴らしい作品がたくさん登場することによって、僕の中でやるべきことはほとんどなくなっていった。

九〇年代から現在に至るまで、ビデオゲームのストーリーは作家の頭の中のコンセプトやシナリオをプログラム記述にすることによって、特殊なストーリーテリングを実現していた。だが、僕はもっと次のイノベーションが必要だと感じていた。作家の頭の中をプログラム化するだけではなく、プレイヤーの存在そのものをAIとしてプログラム化することが、未来で待つビデオゲームの新しいストーリーテリングなのではないか。実は九〇年代から漠然とそういうことも同時に考えていたのだ。

そこで僕が出合ったのが「人狼ゲーム」をアドリブ劇として進化させた『人狼 ザ・ライブプレイングシアター』。僕はこれに「一回性の奇跡的な物語」を発生させる可能性を感じた。そこで僕は「人狼ゲーム」を研究・習熟するため、『アルティメット人狼』というイベントを主催した。これはゲームクリエイターや経営者、役者やプロ棋士などを人狼ゲームで戦わせて、お客さんに観戦してもらう「知の総合格闘技」がコンセプトのイベントで、現在でも定期的に開催をしている。こうした取り組みは一見すると、ビデオゲームとは何も関係がないように思えるかもしれない。だが僕は、人狼ゲームから奇跡の発生装置というヒントを得て、ストーリーのノウハウ、ビデオゲームのプログラムを組み合わせることによって、ストーリーにイノベーションが起きると考えたのだ。本書の終わりではそのイノベーションとはどのようなものなのか、具体的に語ってみよう。

このように第4章は、僕のゲームクリエイターとしてのエッセイ色、マニフェストとしての方向性が強いものとなっている。だがゲームクリエイターの立場として、ストーリーのノウハウを突き詰めた結果、必然的にここに辿り着くものだと考えているし、過去ばかりではなく、未来を示すことがクリエイターの役割と考えている。テクノロジーは加速度的に進化している。AIが人間の手をほとんど借りずに、立派なストーリーを書き上げることも遠い未来ではない。だとしたら、この第4章はそのAI時代が到来したときの物語作りのノウハウを記していると位置づけることができるだろう。この第4章は現在からすると、浮世離れしたビジョンを書いているかもしれない。実際のところ、この構想はコンピューターの技術的な進化も必要で、一〇年後、二〇年後に実現ができているのかもわからない。だがその時代に再読される機会があると、ここで書かれていることはまさに「現在のストーリーのノウハウ」と感じてもらえると確信している。

プログラムの物語は原初のストーリーテリング

プログラム記述によって起こる、ストーリーのイノベーション。それは未来で起こり得るものと記したところだが、僕は同時に原初のストーリーテリングだったのではないかと考えている。文字を発明する前の人類はストーリーを口伝えしていた。こうした口承の物語は、おそらくインタラクティブで自由に富んだものだったのではないだろうか。たとえば聴衆に子供が多かったり、観客の反応次第で物語がその場で変化したはずだ。これは現在のビデオゲームに似ている。しかし小説などのように活字によって物語が固定化されてしまうと、誰が読んでも展開は同じものだ。ストーリーとは、かつてストーリーテリングだったのだ。このように考えると僕の中でストーリーテリングはストーリーよりも上位の概念だ。

それが現在、プログラム記述の物語によって、たとえば分岐が発生するなどオーダーメイド化したストーリーテリングを提供することができた。これがさらに進化して、ＡＩによってリアルタイムで物語が生成すると、原初のストーリーテリングで存在していたライブ性も加わることになる。

たとえば小説というのは小説家が自分の中で考えて出合った一つのルートでしかない。でも欲しいのは小説家の脳みそなのだ。本来、思考はもっと自由であった。物語は人間の脳の中で自由に発生するものなのだが、文字と印刷技術の発明によって物語の自由度が狭まってしまったのではないだろうか。もちろん文字に焼き付けられたことによって、ノウハウは蓄積する。人称の多様性や時間の階層など、小説や戯曲によってストーリーはアップデートされてきた。その結果、文字のストーリーは純文学や私小説に辿り着いた。それは自分の思考の中から掘り出していけた深さではあるが、その深さを手に入れた上でプログラム記述というストーリーテリングを手に入れることによって、さらに物語は進化していく。その最終形が、あらゆる物語のノウハウをＡＩが動員して、インタラクティブに変わる「一回性の奇跡的な物語」なのだ。僕が立ち上げた会社の名前が「ストーリーテリング」という名前なのはそのような由来であり、僕がゲームクリエイターとしてずっと念頭に置いて考えている課題なのだ。

技術力においては未熟極まりないが、実はこのようなコンセプトのゲームを、かつて僕は開発したことがある。それが僕が企画・ディレクターを担当した『Little Lovers SHE SO GAME』という一九九九年にプレイステーション用ソフトとして発売したゲームだ。僕のビデオゲームの代表作といえば、チュンソフトに在籍しているときに開発した『3年B組金八先生 伝説の教壇に立て！』や『428 ～封鎖された渋谷で～』と思われているが、実は僕自身としてはこの『Little Lovers SHE SO GAME』こそが、もっとも挑戦的で先鋭的だと思っている。

本書はこういった僕の取り組みや、どうしてそのような考え方に至ったのかも明らかにしていくので、お付き合いしていただければ幸いだ。ビデオゲームの物語とは、原初ストーリーテリングがプログラムで再現されていく、ルーツと最先端を同時に持つ場所である。そこでは新たなことが色々と生まれている。そのことにみんな興味を持って欲しいし、理解した上で新しい物語を発見して欲しいと願っている。本書はそのために書かれている。

目次

まえがき　3
なぜシナリオライターでもない僕がストーリーのノウハウを語るのか　3
それぞれの現場のノウハウはバラバラ　5
まずは映画のノウハウを理解するのが大事　6
本書の構成　7
ビデオゲームについて思索する　9
ビデオゲームは物語作りの最先端　13
これからの物語の可能性　14
プログラムの物語は原初のストーリーテリング　17

第1章　リライティングと三幕構成　31

「初稿は才能」、「改稿は技術」 32
ストーリー作りの地図を作れ 33
「テーマ」というわかりにくい言葉 34
ストーリー作りにおける「ゼロイチ」と「イチヒャク」 36
「リライティング」は技術でありノウハウ 38
TVアニメ業界における「複数人シナリオ体制」 40
ビデオゲームにおける「複数人シナリオ体制」 41
僕が最初に試みた複数人シナリオ体制 43
伝説的だった黒澤明の複数人シナリオ体制 45
直列シナリオ体制によるリライティング・システム 46
『428 〜封鎖された渋谷で〜』のシナリオ体制 48
起承転結より三幕構成を理解するほうが大切 51
三幕構成のプロットポイントに注目する 52
「15のビート」を自分独自にカスタマイズせよ 54

『アイアンマン』の15のビートの分析 56
『アイアンマン』の第一幕 56
第一幕の終了、第二幕へ 60
ミッド・ポイントで絶好調から絶不調へ 63
第二ターニング・ポイントまですぐ移行 65
プロットのリライティング 68

第2章 主人公と感情曲線 71

三幕構成でもっとも大切なのは第一幕 72
感情移入と共感の差異を考える 73
共感できる主人公を分析する 74
常識的な主人公が振り回される『オン・ザ・ロック』 75
感情移入とは行動で納得させること 76

魅力的な主人公の四つの要素 78
何についての映画なのか、「映画の主人公性」を知る 81
新しいノウハウ「感情曲線」とは 83
『君の名は。』の感情曲線分析 88
『君の名は。』と『アナと雪の女王』と『ローマの休日』の比較 98
群像劇であっても主人公を設定したほうがよい 100
従来の群像劇から新しい群像劇へ 102
パズルのようなストーリー『運命じゃない人』と『カメラを止めるな！』 103
宮崎駿（みやざきはやお）の天才性について 104
ビデオゲームの主人公性 106
ビデオゲームの主人公におけるセットアップとは 107
『ドラゴンクエスト』と『ファイナルファンタジー』の主人公性 108
ビデオゲームの根本的なセントラル・クエスチョン 110
葛藤ができる選択肢 112
あらゆる選択肢を認めた『HEAVY RAIN 心の軋むとき』 113

ビデオゲームにおける15のビートを考える 115
ビートの順番を入れ替えることを心がける 117
気をつけたいビデオゲームのエンディング 118

第3章 ミステリーとミステリーゲーム 119

セントラル・クエスチョンはミステリーである 120
エンターテインメントを進化させたミステリー 121
読者のミステリーに対する欲求は二種類 123
本格ミステリの誕生 124
「なぜ殺したのか」が重要なミステリー 126
「どうやって殺したのか」が重要なミステリー 128
能動的なミステリーの成功例『リアル脱出ゲーム』 129
能動的なミステリーの課題 131

後期クイーン的問題とは　132
ビデオゲームにおける後期クイーン的問題　134
第一の問題について　135
ゲーム的な後期クイーン的問題　136
第二の問題について　137
ゲームという思考実験　138
新しいミステリーゲーム「マーダーミステリー」　140
マーダーミステリーの大傑作『ランドルフ・ローレンスの追憶』　142
オンライン・イマーシブ・シアター　143
すでに僕の中にあったイマーシブ・シアターのノウハウ　144
ネタバレを含んだ『SECRET CASINO』の解説　その一　146
ネタバレを含んだ『SECRET CASINO』の解説　その二　148
ネタバレを含んだ『SECRET CASINO』の解説　その三　149
第五の壁を越えた『SECRET CASINO』　150
TV番組『安楽椅子探偵』　152

ネタバレ解説『CATSと蘇ったモリアーティ』 152
京大ミステリ研の「犯人当て」とは 154
「犯人当て」を取り入れた『TRICK × LOGIC（トリックロジック）』 155
後期クイーン的問題を回避した『TRICK × LOGIC』 157

第4章 ゲームの物語作りの最先端とその未来 159

ビデオゲームのストーリーテリング 160
「ゲームの物語づくりの最先端が〝いま〟〝どこに〟あるのかを確認しなければならない」 160
初期のアドベンチャーゲーム 162
サウンドノベルの誕生 164
直線型とは何か 165
『弟切草』が生み出したもの 166
『弟切草』のループ構造的なもの 168

『かまいたちの夜』のループ構造的なもの　169
フローチャートを可視化した『この世の果てで恋を唄う少女YU-NO』　170
『かまいたちの夜』の「頭の中にフラグを立てる」　172
『かまいたちの夜2』と『428』の「未来をセーブ」　173
『TIME TRAVELERS』の四次元フローチャート　176
フローチャートを縦にした『ひぐらしのなく頃に』、『STEINS;GATE』　177
世界に発信されたビデオゲーム的な物語構造　180
幻の企画『THE END OF THE WORLD』　182
『THE END OF THE WORLD』はどのような企画か　183
『THE END OF THE WORLD』の結末　188
九〇年代の同時代的な感性　190
バッドエンド、グッドエンド、ベストエンドとは　192
トゥルーエンドとは何か　193
『かまいたちの夜2』のトゥルーエンド　194
悲劇を描くことが難しいゲーム　195

悲劇を描いた『HEAVY RAIN 心の軋むとき』 197
未来のストーリーテリング 200
ＡＩによる物語の生成 201
シミュレーションゲームの可能性 202
人間はデータに涙することができる 204
故・大林宣彦（おおばやしのぶひこ）監督の言葉 206
プレイヤーの錯覚を利用した『ときめきメモリアル』 207
データを生きものになぞらえた『AQUAZONE』 208
僕のシミュレーションゲーム第一作『Little Lovers』 210
悲劇をもたらすランダム性 211
ドラマを発生させる装置としてのゲーム 213
キャラクターが自律する『高機動幻想ガンパレード・マーチ』 215
『金八』にＡＩを入れるアイディアがあった 217
ゲームＡＩの三つの分類 220
未来のストーリーテリングの鍵は「プレイヤーＡＩ」だ 221

キャラクターの上位にプレイヤーの存在を感じさせた映画　222
奇跡の物語を発生させた『人狼 ザ・ライブプレイングシアター』　224
「感情移入」でも「共感」でもない「ロールプレイ」　226
プレイヤーＡＩによる「ロールプレイ」のサポート　228
未来のロールプレイは進化したデバイスで促される　230
原初のストーリーテリング　232
ストーリーテリングとナラティブの違い　234
人狼ゲームで発見した「トゥルーエンド」　236
物語の千日手（せんにちて）を目指して　238
来たるべきＡＩ時代のストーリーとの向き合い方　240

あとがき　245

第1章

複数人でのストーリー作成とハリウッドの黄金律！

リライティングと三幕構成

「初稿は才能」、「改稿は技術」

ストーリーの作り方には論理がある。本書で扱いたいのは、特に映画とビデオゲームのストーリーだ。映画はストーリー作りのノウハウが蓄積されており、一方でビデオゲームはストーリー作りの最先端の実験が行われている。この両者を比較することには意味があると考えている。

僕はストーリー作りを「初稿は才能」、「改稿は技術」と分類している。小説を書くときに会議はしない。単独で机に向かい合い自分の才能と対峙(たいじ)するものだ。編集者の校正はあるものの、複数人で改稿を積み重ねるのは稀だ。

逆に映画、特にハリウッド映画のシナリオは、巨大なビジネスの一環として投資家に出資を受けるため、広く一般に希求するエンターテインメントの代表として多くの人が楽しめるように磨き上げるため改稿を重ねる。この作業というのは集団で行うもので、ノウハウに裏づけられたコミュニケーションが成立しないと改稿の作業は成立しない。映画業界においてはノウハウが確立されており、その技術は他のビデオゲームやアニメ業界でも応用が利く。

実はビデオゲームやアニメーションは、ハリウッド映画ほどのノウハウが確立されているわけではない。現場では、個別のシナリオライターが映画のノウハウを参考にしつつ、独自のノウハウを作っていることが多い。だが本来からいえば、ビデオゲームもアニメーションも集団作業であるのだからディレクターやプロデューサーであっても、こういったシナリオのノウハウを熟知しておく必要がある。たとえばアニメやゲームのシナリオ会議では、プロデューサーなどシナリオライター以外の人から、さまざまな意見が出てくるのはよくあることだ。だが、ストーリーの面白さの好みは人それぞれだし、ときには無理難題や見当外れの意見も出てくる。そうした意見についての是か非かはどこで判断をすればいいのだろう。重要なのは「どのような話が面白いか」ではなく、「どうやったら話が面白くなるか」という視点だ。初稿の面白さを正しく形作るのに、正しくブラッシュアップする改稿は必要不可欠だ。

ストーリー作りの地図を作れ

ここに地図があるとする。北に目的地があることはわかっているので、その方角に愚直に歩いていけば無事に目的地に辿り着けるだろうか。実際は、山や川があるので迂回ルートを把握する必要があるし、それらを乗り越える準備が必要だ。そもそもコンパスを持っていなければ正確な進路はわからない。コンパスを持っていない人が「こっちが正しい進路だ」と言っても混乱するだけだろう。道中で「目的地は北じゃない」、「地図は正確じゃない」と言いはじめる人がいると、現場はさらに混乱する状況に陥ってしまう。

ストーリー作りにおいて、より面白い作品という目的地に辿り着くためのノウハウこそが「三幕構成」、「15のビート」、「リライティング」である。そのようなすでに確立されているノウハウの裏づけがあるのかという視点がないと、ただ個人的な好みでジャッジをするだけになってしまう。絵は技術がないと描けないが、ストーリーは技術がなくても誰でも描けると思われているふしがある。実際はそうではなく、ストーリーにも技術があれば客観性、普遍性が増すことを肝に銘じなければいけない。

「テーマ」というわかりにくい言葉

まずは共通認識を固めておこう。制作の現場で「テーマ」をスタッフの間で共有することが大事だ。だが、この「テーマ」という言葉は少しややこしい。辞書をひくと「主題」や「題目」、「作品の中心となる内容」と出てくる。だがこれも漠然としており、いまいち意味がわかりにくい。

映画作品においてテーマという言葉が混乱してしまった背景にはクリエイターたちの発言があると思う。一例だが『宇宙戦艦ヤマト』がブームになったときに西崎義展（にしざきよしのぶ）プロデューサーが「テーマはなんですか」と聞かれた際に「愛です。人類愛です」とか「自己犠牲（じこぎせい）です」と大仰なことを言ったり。それを受けて今度は「テーマはなんですか」と聞かれると、作り手側が照れて「テーマはないです」みたいなことを言い出すという変な空気ができてしまったのだ。このような流れで「テーマ」というものが多くの人にとって、わかりにくいものになってしまったのではないだろうか。

僕なりに「テーマ」という言葉を翻訳すると、どういうことをプレイヤー、読者、視聴者に思わせるか、つまり「設計意図」のことであると考えている。これは企画書で書かれている作品のコンセプトとほとんど同義だ。もちろん企画書には、ターゲット層などの売るための企画意図が書かれているものがあるが、ここでいうテーマとは純粋な作品レベルでの設計意図のことだ。

さきほどの『宇宙戦艦ヤマト』の例ならば、「テーマは愛」だとほとんど宗教や哲学の世界になるが、「愛とは利他的行動であり、利他的行動が大切だと視聴者に思わせる」だとどうだろう。わかりやすくなったのではないだろうか？現場レベルで比較的、共有しやすくなったはずだ。これも設計意図としては簡略化されてはいるが、少なくとも「テーマは愛」というよりか、「利他的行動が大切だと思わせる」のほうがスタッフやキャストが現場において、何をポイントにすればいいのかは伝わる。たとえば「このシーンは利他的行動に関連する感情描写なので、より強調して演出しよう」といった具合にだ。

こうした「設計意図」という共通認識は、いわば目的地を定めることであり、おろそかにしてしまうと現場は途中で混乱してしまう可能性が出てくるので、しっかりと全員に共有をしたい。

ストーリー作りにおける「ゼロイチ」と「イチヒャク」

こうした基礎の基礎を確認したところで、ストーリー作りには二種類あることを確認しよう。「ゼロイチ」（0⇒1）と「イチヒャク」（1⇒100）だ。もともとこの言葉は、ビジネス用語で、会社を起業するときに「ゼロイチ」、会社の規模を拡大していくときに「イチヒャク」ということを意味している。この言葉は、ゼロから何かを生み出すことと、生み出したものを大きくするときのイメージが摑みやすく、本書のストーリー作りにおいても使ってみたい。エンターテインメント業界でも「オリジナルものはゼロイチ」、「原作ものは「イチヒャク」、もしくは世界展開をしたいときに「イチヒャク」「ジュウヒャク」などという言葉を使っている。今後、重要になる言葉だろう。

ストーリー作りにおいて「ゼロイチ」とは、企画も何もないところからのスタートであり、企画を含めたプロットやストーリー構成のことを指す。僕がメインとなっている仕事のほとんどが、この「ゼロイチ」の作業である。これについてはノウハウはないわけではないが、こうやれば絶対上手くいくというものはなく、ほとんど発明や才能に近い。人気が出るかは、時代と合うかどうかに大きく左右される要因が大きく、集団作業になることも少ないので、本書では論じない。

ストーリーをどのように面白くしていくのかは、もう一つのイチヒャクの分野である。そして僕はこれこそがノウハウの塊だと思っている。すごくいいアイディアがあっても、それが面白い完成品になるかどうかはこのイチヒャクにかかっている。いくらゼロイチが面白くても、イチヒャクがつまらなかったら壊れてしまう。イチヒャクを凌駕（りょうが）するゼロイチはほとんど存在しないといってもいいだろう。僕自身はゼロイチの仕事が中心だが、ゼロイチはできる人はできるだけの話であって、イチヒャクを超える価値は持っていないと考えている。繰り返すことになるが、ゼロイチがいいから売れるわけでもないし、作品のクオリティが保証されるわけではないからだ。ただ、自分がどちらの能力を持っているのか、自覚することはとても大切なことである。そしてイチヒャクを扱う当事者のシナリオライターではなかったとしても、どのようにプロデュースしたりディレクションしたりするかという視点において、このイチヒャクのノウハウを知っておくことは大切なのである。ではここから、具体的なノウハウの話に移っていこう。

「リライティング」は技術でありノウハウ

まず意識してもらいたいのが、プロットやシナリオはリライティングする、つまり書き直さなければいけないものと捉えることだ。これはハリウッドではノウハウ化されており、リンダ・シガーの『ハリウッド・リライティング・バイブル』という本になっているほどである。この本はシナリオの機能しているところと機能していないところを見極めて、機能していないところをリライティングしましょう、という本だ。

このリライティングというのは、イチからすべてを書き直すという意味ではない。シナリオ上のボトルネックとなっている部分を分析しつつ、部分的に書き直して初稿のアイディアや面白さを保ちながら、完成度を高めていく作業のことだ。「リライティングとはノウハウであり技術である」、「この大前提は、日本では意外と共有されておらず、現場では納得がいかないシナリオの直しで苦労しているシナリオライターが多い。もしこの本を読まれている方が、ジャッジする側の立場だとすると決して個人的な好みによる感覚的なリライティングを要求してはいけない。感覚的なリライティングだと、初稿にあったシナリオライターの初期衝動によるエモーショナルな部分を削ってしまう恐れがある。リライティング技術を会得していない人が、リライティングを要求するのはもはや罪深いとさえいえるだろう。

なぜこうしたノウハウがハリウッドから出てきたかというと、投資判断と深く関わる俳優のキャスティング問題があるようである。シナリオが完成した後にある大スターに出演を依頼するものの、断られてしまい、人種や性別が違う俳優が出演することになるのはハリウッドでは日常茶飯事だ。そうすると登場するキャラクターの背景や振る舞いも変わってくるので、シナリオのリライティングが必須になってくる。そこで、どのように最初のシナリオの面白さを担保しながら、改稿していくのか、そのノウハウが求められたわけである。

いかにもハリウッド映画ならではの事情だが、これはゲーム、マンガ、小説など、あらゆるストーリー作りにも応用できる考え方だ。どこがボトルネックなのか、どこが残すべきエモーショナルな部分なのか。こうした考え方は個人作業の小説という媒体であっても、リライティング技術を念頭に置きながら書き直すことによって、クオリティはアップしていくはずだ。そしてディレクターの立場ならば、なぜそのリライティングが必要なのかシナリオライターに問われれば、しっかりと答えられるようにならなければいけない。

またここまでの話はディレクターとシナリオライター、プロデューサーとシナリオライターのような関係性を念頭においていたが、シナリオライターとシナリオライターという可能性もあり得るだろう。実際、ハリウッド映画の脚本のクレジットを確認していると、一人だけではなく二人や三人で書かれていることが多い。こうした複数人シナリオ体制では、シナリオライター同士でリライティングをお互いにすることによって、シナリオのクオリティが上がっていく。複数人シナリオ体制というのは、リライティング技術を前提にすると極めて有効な手段だ。

TVアニメ業界における「複数人シナリオ体制」

現在のTVアニメ業界では、製作委員会のもと、原案、企画、原作、総合監督、監督、キャラクターデザイン、シリーズ構成、脚本家といったように役職が細分化されている。監督やプロデューサーなどの意見を取り入れて、シリーズ構成を担当する人が各エピソードのプロットを策定、脚本家を選定して各話の脚本ができ上がっていく流れだ。TVアニメシリーズでは各エピソードごとに脚本家が一名、多くても二名がクレジットされていることが多いが、実際は一人だけであっても監督とシリーズ構成を通じてリライティングが必ず発生している。つまり実態としてTVアニメシリーズは複数人シナリオ体制なのである。また劇場用アニメはシリーズ構成がいない代わりに、実写映画と同じく脚本家を複数人体制にすることによって、クオリティを担保するパターンも存在する。

ビデオゲームにおける「複数人シナリオ体制」

ビデオゲーム業界においても、複数人シナリオ体制は、現在では中規模以上のタイトルだとほとんどスタンダードといってもいい体制となっている。しかしかつてビデオゲームは、プログラムもグラフィックもシナリオも一人で担当するという、現在でいうインディーゲーム的な時代が八〇年代初頭にあった。歴史をみてみると、そこからすぐに市場が形成されたので、ユーザーから商品という品質が求められ、プログラマー、シナリオライター、グラフィッカーといったように分業化がされはじめた。規模は大きくなったとはいえ、『ドラゴンクエストⅢ　そして伝説へ…』ではシナリオライターは堀井雄二(ほりいゆうじ)さんが一人で担当していた。

しかし一九九〇年の『ドラゴンクエストⅣ　導かれし者たち』では、堀井雄二さんという主導的なシナリオライターに、アシスタントで補佐するシナリオライターがいるという、制作体制になっている。九〇年代のビデオゲーム業界では、これが主流の体制だったといっていいだろう。

だが、九〇年代末期や二〇〇〇年代前半、プレイステーションからプレイステーション2へ移行する時期ともなると、さらにシナリオのボリュームは膨れ上がり、もはや従来のような体制だと、手に負えないものとなっていった。現場では映画やアニメ業界のような「複数人シナリオ体制」への変革が求められた時期であり、まさに僕は『3年B組金八先生伝説の教壇に立て！』において、複数人シナリオ体制に対応しなければならない渦中にいた。

僕が最初に試みた複数人シナリオ体制

『3年B組金八先生 伝説の教壇に立て！』は、TVドラマ『3年B組金八先生』を題材にしたゲームだ。入院している金八先生に代わって、教師として学校に赴任した主人公をプレイヤーが操作して、生徒たちと交流していく。生徒を主人公にした学園シミュレーションゲームは星の数ほどあるが、教師が主人公というのは今でも物珍しく、おかげさまで僕のゲームのファンの人の中には「『金八』が一番好き」と言ってくれる人がいるくらい高い評価をいただいている。

企画や全体のストーリー構成こそ僕の発案だが、シナリオは複数人の体制によって書かれている。このゲームの特徴は第○話というように、エピソード形式になっていることだ。そこで起用したシナリオライターチームに、「このキャラクターで、こういう話を作りたいアイディアがあれば、プロットを出してくれ」と呼びかけた。コンペ形式でプロットを互いに競わせて、面白かったものを採用していく。たとえば鉄道マニアのキャラクターだったら、鉄道に思い入れがある人が書いたプロットを採用しているので、この方法によってシナリオに説得力を持たせることができた。

また監督としてトータルのストーリーをどうするかというのは僕の仕事ではあったが、

そうなるとシナリオをゲームに落とし込んだときのディティールの齟齬に注意が向かなくなる可能性がある。そこで「シナリオ・ディレクター」という役職を新しく導入した。この役職には、のちに小島秀夫監督の伝説的なホラーゲーム『P.T.』や、同監督の『METAL GEAR SOLID V』の開発に携わることとなる、伊東幸一郎さんに担当してもらっている。伊東さんには、ディティールや分岐などでおかしな部分があったら、小さなリライティングも直接やってもらっている。このシナリオ・ディレクターという新しい役職は次作『428 ～封鎖された渋谷で～』でも踏襲がされている。

こうした複数人シナリオ体制やシナリオ・ディレクターというのは、当時のビデオゲーム業界ではあまり前例がなく、ノウハウの蓄積もなかった。結果的には現場・作品の品質ともに上手く機能はしたが、僕自身は確信を持ってやっていたわけではなかった。開発したチュンソフトという会社は、ビデオゲーム業界では比較的老舗に入る会社であり、「サウンドノベル」というジャンルを生み出したくらい、シナリオ中心のゲームでは業界トップクラスの会社だった。それにもかかわらず、映画業界と比べると、シナリオ体制やシナリオ作りのノウハウはまだまだ欠けていたと思う。実際、『3年B組金八先生 伝説の教壇に立て！』は僕がディレクターに初めて専念した作品だが、これは当時のチュンソフトにリライティング技術がなかったと感じたためだ。ディレクターに専念することによって、リライティングをする役割に僕は徹しようとしたのである。

伝説的だった黒澤明の複数人シナリオ体制

僕が複数人シナリオ体制でずっと気になっていたのは、黒澤明のシナリオ体制だった。特に映画史上の最高傑作『七人の侍』のシナリオ体制は謎めいていて半ば伝説的だった。『七人の侍』には黒澤明、橋本忍（はしもとしのぶ）、小国英雄（おぐにひでお）という三人の脚本家がクレジットされているが、まことしやかに語られていたのがシーンごとに分担するのではなく、黒澤明がドーンと座って、二人に一ページずつ書かせ、面白いものを採用していったという話だ。『3年B組金八先生 伝説の教壇に立て！』の発売後、この『七人の侍』を含めた黒澤組のシナリオ体制が明らかになった。『七人の侍』に携わった橋本忍の回想録『複眼の映像 私と黒澤明』が発売されたからだ。

そこで明らかになった黒澤組のシナリオ体制とは、前述した噂を彷彿とさせるものだった。それぞれのシナリオライターが同一シーンを書き、もっとも面白いものを採用する。それを第一稿として、そのシナリオをもとに、他のシナリオにあった単語や熟語などのいいフレーズを取り入れて決定稿として磨き上げるというものだった。

またもう一つの手法を橋本忍は紹介している。それはやはり三人が同一シーンを書くが、どれも第一稿には採用せず、その代わりもっとも良かったシーンを叩き台にして、黒澤明が全面的に書き直すというものだ。これによって黒澤の語り口になりつつ、叩き台になったシナリオの良さが取り入れられるのだという。

直列シナリオ体制によるリライティング・システム

僕はこれを読んで、『3年B組金八先生 伝説の教壇に立て!』の複数人シナリオ体制というのは、あながち間違ってはいなかったという自信を得た。僕なりにこの『複眼の映像 私と黒澤明』を解釈すると、「直列シナリオ体制によるリライティング・システム」なのだ。つまり並列で色々なアイディアを取り込んでいくという体制ではなく、それぞれのシナリオを司令塔の設計意図やプロットに沿って、リライティングしていく。設計意図とプロットさえ守れば、たとえシナリオライターが変更になったとしても、作品がブレることはない。また黒澤明は、同一シーンを複数人のシナリオライターに書かせて競わせたが、僕の現場においては奇しくもプロットのレベルにおいて競わせていた。

『複眼の映像』で興味深いのは、このリライティング・システムを途中から黒澤明がやめてしまったことを橋本忍が批判していることだ。橋本忍はこれまでの体制を「ライター先行形」と呼んでおり、これは『七人の侍』が最後であって、次の『生きものの記録』では「いきなり決定稿」という体制に移行したという。橋本忍によると「ライター先行形」体制では第一稿が決定稿への叩き台となるが、「いきなり決定稿」体制ではまだまだ欠点や未完成部分の多い第一稿を決定稿にせざるを得ないのだという。だが、橋本忍自身も首をかしげているが、この「いきなり決定稿」体制で、なぜか『用心棒』という大傑作が突如、生まれたのだという。

これは僕の想像でしかないが、『用心棒』は黒澤明と菊島隆三（きくしまりゅうぞう）という二人体制で書かれたものなので、黒澤明は舞台やキャラクター設定などに注力して、菊島隆三が書いたものを黒澤明がジャッジしていたのではないだろうかと考えている。人数は少ないながらも、リライティング・システムが機能したのか、初稿の段階ですでに傑作でリライティングが必要なかったのか、僕が知る限り定かではない。

『428 〜封鎖された渋谷で〜』のシナリオ体制

『金八』の次に開発した『428 〜封鎖された渋谷で〜』では、僕なりに「ライター先行形」をバージョンアップした体制をとった。『金八』と大きく違うのは、北島行徳(きたじまゆきのり)さんをメインシナリオライターとして起用したことだ。『金八』ではメインシナリオライターという存在は決めなかったが、北島さんは『金八』の最終話シナリオで想定を超える素晴らしい執筆をしてくださり信頼できるシナリオライターだと感じたためあえて体制を刷新した。

開発体制としては、まず北島さんと、僕たちのゲームチームが一緒にブレストしながら、北島さんにプロットを書いてもらう。さらにそのプロットを会議にかけてプロット決定稿にしていく。そのプロット決定稿をもとに各シナリオライターに投げてそれぞれシナリオを第一稿として書いてもらうが、その書かれたシナリオを北島さんがさらにリライティングしていく。こうした体制は、黒澤組のように同一シーンの競争こそしてはいないが、リライティングにおいては黒澤明が全面的に書き直すといったような、ライター先行形にも近い理念を持っている。そして芯を通すためにも、重要な冒頭や終盤は、北島さんに直接シナリオを執筆してもらっている。

最終的にはシナリオ・ディレクターの伊東さんが、それをゲームに組み込みながらシナリオをチェックしていく。分岐で生まれた齟齬などは、伊東さんからシナリオライターにリライティングしてもらったり、伊東さん自身がリライティングをしたりしている。縦軸にあるものを横軸に再構成していく発想である。

複数人シナリオ体制の大きなメリットは、成長期の若いシナリオライターを起用できることもある。若いシナリオライターは初期衝動があり、エネルギッシュなものが書ける。また意外かもしれないが若い人のほうが王道のシナリオを書きたがる。なぜならこれまで王道ものを書いた経験がないからだ。逆にベテランは、王道ものをすでに書いていることも多いため初期衝動が解消されている。王道でありきたりなものをエネルギーをかけて書くというのが、エンターテインメントにおいてお客様にもっとも届くものだと僕は思っている。しかし若手が書いたものは技術的には未熟さが残っているので、それをベテランのシナリオライターが整えていく。『金八』にしろ『428』にしろ、若手シナリオライターを組み込んだ複数人シナリオ体制を組むことがとても成功したように思っている。僕は携わっていないが、『ペルソナ5』においても若手がシナリオを書き、ベテランが直すといった座組みをしていると橋野桂（はしの かつら）プロデューサーから聞いたことがある。

以上にみてきたような僕の体制や黒澤明の体制というのは一例でしかない。重要なのは

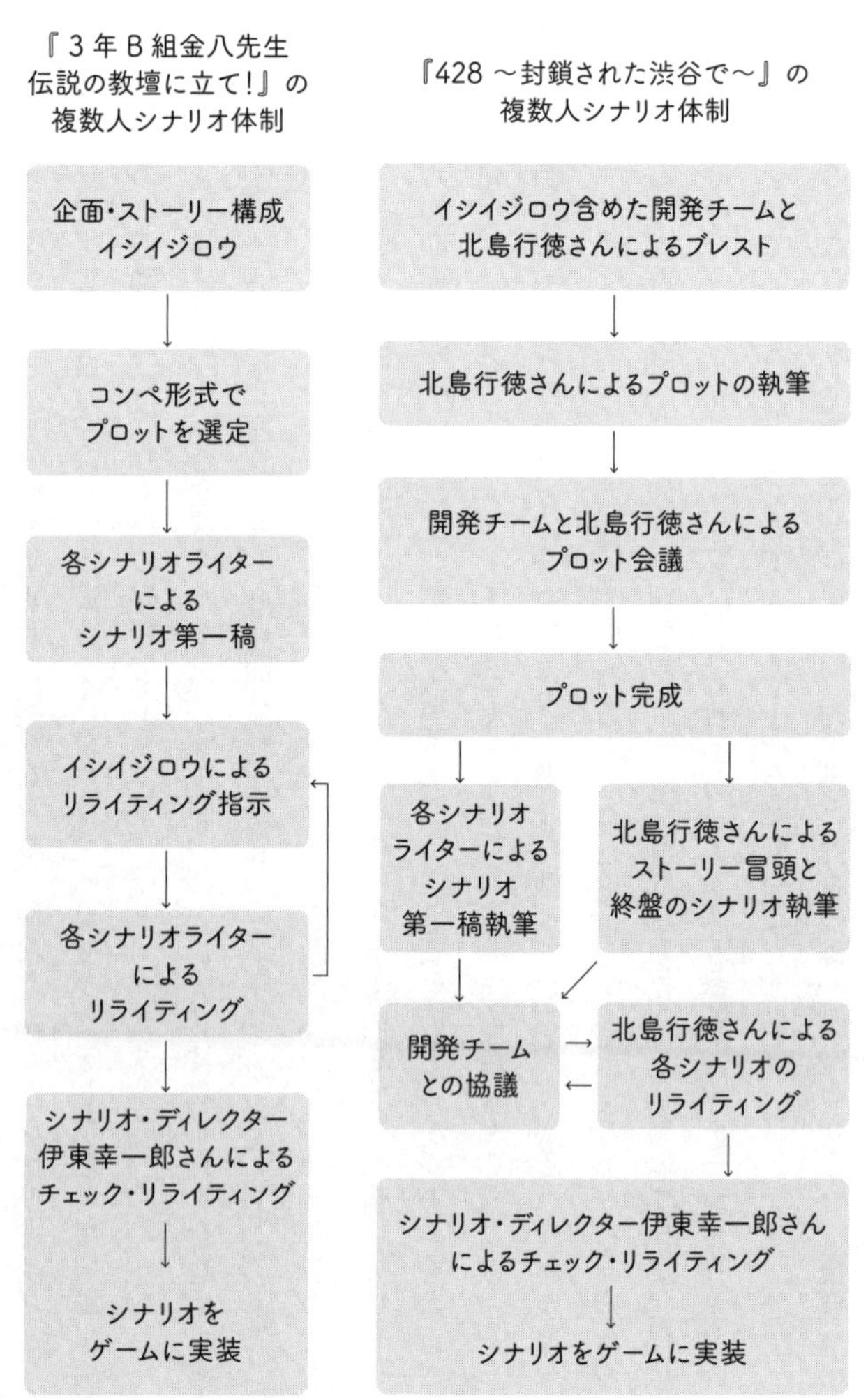

図1 『金八』のシナリオ体制と『428』のシナリオ体制

リライティング技術が有効に機能する体制を作ることだ。

起承転結より三幕構成を理解するほうが大切

ではここから映画シナリオのノウハウの基礎といえる「三幕構成」、それを細分化した「15のビート」について説明していきたい。それをしっかりと理解することで、リライティングの指標ともなり得るからだ。ただ気をつけなければいけないのは、「三幕構成」や「15のビート」はそのまま映画以外の他のメディアに単純な転用はできない。なぜならこれらは九〇分から一二〇分の映画に特化したメソッドだからだ。これは映画シナリオの一ページ一分という分量においてもっとも機能するものとして作られている。

ただ、このノウハウによって映画は相当堅実な、強力な物語構造を手に入れていることは間違いない。これをどのように他のメディアに応用すればいいかを考えることがストーリー作りにおいて重要なので、その基本となる三幕構成をしっかりと理解しておくことは大事だ。

三幕構成は、『映画を書くためにあなたがしなくてはならないこと　シド・フィールドの脚本術』で有名になった方法論である。これは二〇〇九年に翻訳が発刊されたが、それ以前にも九〇年代から『別冊宝島144　シナリオ入門』というムック本で紹介されており、多くのクリエイターはそれを宝物のように読んでいた。

従来、日本人に馴染み深いのは、起承転結というフォーマットだろう。起承転結と三幕構成とを同一視している人がたまにいるが、起承転結だと四幕構成になってしまい、これらは当然、全然違うものだ。実際のところ、起承転結とは四コマ漫画の描き方本によって広がったフォーマットとも言える。これを二時間の映画に当てはめると、四分の三のところに「転」があるストーリーになるが、そういった作品はほとんどない。実は「転」は真ん中に存在したりするのが映画なのである。感覚的に腑に落ちないかもしれないが、それをきっちり分析したのが三幕構成の真骨頂である。現代的なストーリー作りをするならば、起承転結よりも三幕構成やそれをアップデートした15のビートのほうが現在の映画を分析するのには適しているので、今回、起承転結はいったん忘れてしまって構わない。

三幕構成のプロットポイントに注目する

三幕構成は、シド・フィールドの言葉をそのまま使うと、第一幕は「状況設定」、第二幕は「葛藤」、第三幕は「解決」になる。第一幕は、観客を主人公に感情移入させる、事件がどのようにはじまるか、という二つを同時に描く。これは逆にいえば、観客に「この主人公は好きじゃない」とか、「どういう状況なのか、何が起こっているのかわからない」と思わせてはダメだということだ。目的をはっきりさせないと、次の「葛藤」も観客は理解ができない。この第一幕で明かされる主人公が解決しなければならない問題は「セントラル・クエスチョン」、また第一幕のうち、主人公は誰なのか、目的は何なのかを明らかにする特に冒頭の時間は「セットアップ」と呼ばれている。

次の第二幕は、目標に立ちふさがる壁との衝突で、ここには心理的なドラマや身体的なアクションが伴っている。事件や問題を解決するために主人公は奮闘するが、あと一歩のところで失敗して最悪な状況にまで落ちてしまう。そして第三幕の「解決」は、目的が達成されて主人公に変化が訪れる。これを成長と翻訳する本もあるが、必ずしも成長である必要性はない。目的を達成したが、その代わり何か大切ものが失われたといった描き方であって

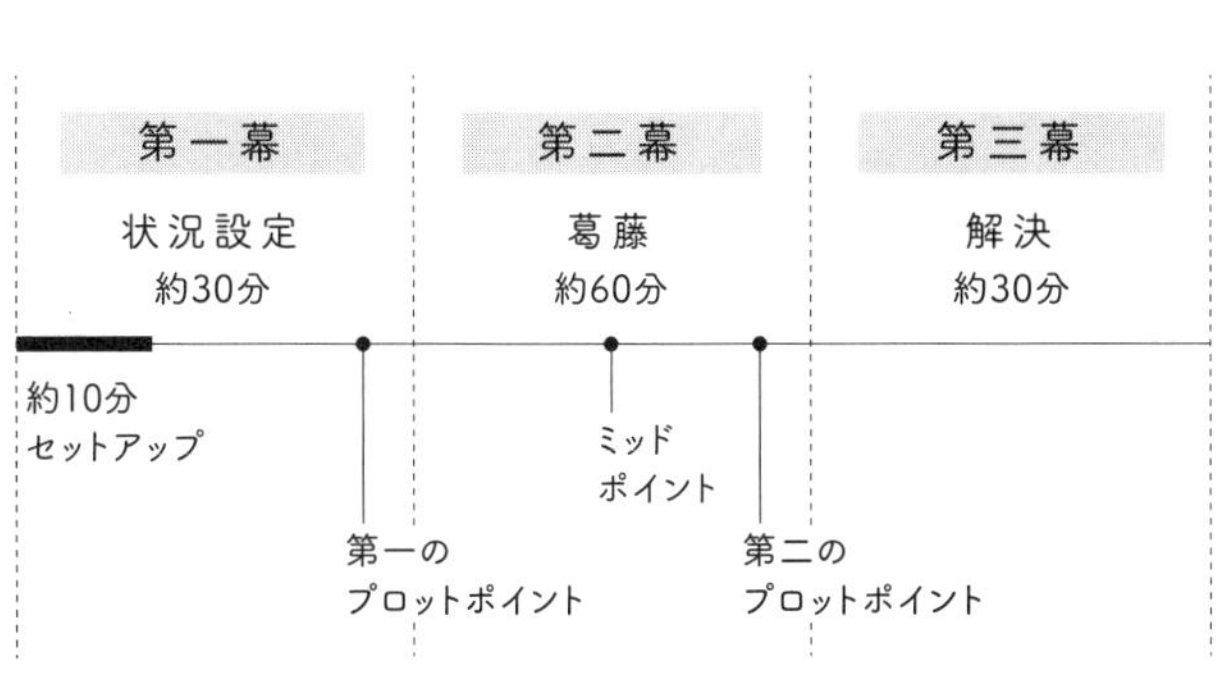

図2　三幕構成の要点

も、変化であれば構わない。

シド・フィールドは、この幕と幕を繋ぐ転換点をプロットポイントと名付けている。第一幕と第二幕を繋ぐプロットポイントでは、第二幕に至る主人公の心理的な変化が描かれる。葛藤にいたるまでの一歩を踏み出すわけだ。第二幕と第三幕を繋ぐ第二のプロットポイントでは、事件を解決に導く重要な手がかりや力を手に入れる転換点が描かれる。僕の経験からいうと、もしも中盤がわかりづらかったり、上手くいっていないと感じたときは、このプロットポイントをはっきりさせたり、前や後ろに少しズラしてリライティングをしたりすることによって、物語の解像度がぐっと上がるだろう。シド・フィールドは主人公についてもさまざまな論を立てているが、これについては第2章で詳しくみていくことにする。

「15のビート」を自分独自にカスタマイズせよ

もう一つの有名なノウハウ「15のビート」は、ブレイク・スナイダーが『SAVE THE CAT の法則　本当に売れる脚本術』という本で提唱しているもので、端的にいうと三幕構成のフォーマットを、ブレイク・スナイダーが独自に細分化したものという理解でいい。

これに当てはめてシナリオを書くと、見事なまでにハリウッド映画でよく観た話がすぐできあがる。15のビートとは具体的にこのようなものになる。

1：オープニング・イメージ
2：テーマの提示
3：セットアップ
4：きっかけ、
5：悩みのとき
6：第一ターニング・ポイント
7：サブプロット
8：お楽しみ
9：ミッド・ポイント
10：迫り来る悪い奴ら
11：すべてを失って
12：心の暗闇
13：第二ターニング・ポイント
14：フィナーレ
15：ファイナル・イメージ

このように実に細かい項目分けになるのだが、ブレイク・スナイダーの功績は、三幕構成を独自に解釈したところにある。逆にいうと、あくまでこれは三幕構成の解釈の一つでしかない。これをお手本に、自分独自の「18のビート」や「20のビート」を作ってもいいわけだ。三幕構成は映画にしか通用しないメソッドだといったが、このビートを参考にしながら独自にカスタマイズすることによって、他のメディアでも現場レベルで使える応用が可能となるだろう。

『アイアンマン』の15のビートの分析

ではここから、僕独自に『アイアンマン』を15のビートの構造から分析をしてみる。なぜ『アイアンマン』かというと、本作はとても三幕構成の基本に忠実だからである。またマーベル・シネマティック・ユニバースという世界興行収入の上位を独占しているシリーズの第一作という点も重要だ。三幕構成は一つの作品として完結する映画のメソッドではあるが、本作のようにシリーズ化する前提の作品でも通用することがわかる。

『アイアンマン』の第一幕

まずオープニング・イメージ。大体の作品は一分ほどのイメージを入れることがある。作品のテーマごとに日

『アイアンマン』のBlu-rayジャケット写真
『アイアンマン』発売中　Blu-ray 2619円（税込）

発売・販売元：ソニー・ピクチャーズ エンタテインメント

常的な場面や疾走感のある場面を入れていたり、『スター・ウォーズ』でテーマ曲に合わせて宇宙にテロップが流れるのも代表的なオープニング・イメージだ。『アイアンマン』では、ロック音楽が爆音で鳴り響き、それとともにアフガニスタンで活躍する米軍が登場する。この映画で盛り上がるシーンは、ほとんどがロック音楽がキーとなるイメージとして使われている。

その次がテーマの提示。冒頭の五分あたりで誰かが問題提起したり、テーマに関連したことをセリフや絵で表現をする。ここを見ればこの映画がどこに向かうのかわかるようになっており、観客にどういうことを映画で描きたいか伝えたいかということを印象づけることができる。逆にこれがないと、観客は本作が何を描こうとしているのかがわからなくなり、退屈してしまうおそれがある。『アイアンマン』だと、「スターク・インダストリーズ」という主人公の会社が開発している兵器で、自身が戦闘に巻き込まれて怪我をする展開だ。映像的に重要なのは「スターク・インダストリーズ」というロゴをしっかりと見せて

図3　アフガニスタンでの主人公

いること。実は冒頭のシーンの主人公トニー・スタークのセリフはテーマには関わっていない。主人公は自慢話ばかりしており、イケ好かない人物であることはわかる。しかしその主人公が自分の会社の兵器によって、いきなり戦闘に巻き込まれるという皮肉がテーマと結びついているわけだ。

その後でセットアップ。物語と主人公をしっかり立ち上げて、キャラクターの目的を見せる重要な箇所だ。セットアップが観客が関心を持つか失くしてしまうかを決める境目である。『アイアンマン』ではいきなり過去の回想になる。主人公はお金持ちで天才だ。兵器商人で女性にモテるが扱いは酷く、傲慢であることがわかる。普通、そのような主人公がいきなり冒頭に出てくると観客は感情移入ができないのだが、観客としてはこれが許せてしまう。その直前に、酷い目にあっていることを知っているからだ。これは一つのテクニックといえるだろう。セリフにおいても「あなたは死の商人とも呼ばれていますが」、「一度使えば勝負が決まる兵器が最強だと思う」など、作品のキーワードとなるものが出て

図4　傲慢なお金持ちとして振る舞う主人公

いる。

　このセットアップが終わった後に、主人公が変化するきっかけが提示される。主人公は変化していかなければならない。変化するのが主人公の特性だ。もちろん周りのキャラクターも変化していくのだが、主人公は観客と一緒に何かに気付き、変わるべきものとして表現される。『アイアンマン』では、捕らわれた主人公がテロリストから兵器を作れと命令される。このときに主人公は心の中で「嫌だ、協力しない」と拒否をする。しかし、自分が作った兵器が横流しされて、テロリストに使われていることを知ることによって、「逃げよう。そして、この自分が作った兵器を何とかしなければ」と考えるようになる。ここで観客はすっかり主人公に感情移入ができているだろう。15のビートのフォーマットだと一二分だが、『アイアンマン』は約二〇分前後のあたりでこれが描かれるので、少し後ろ倒しになっている。テーマの提示までの展開は速いが、セットアップときっかけは比較的丹念に作っていることがわかる。

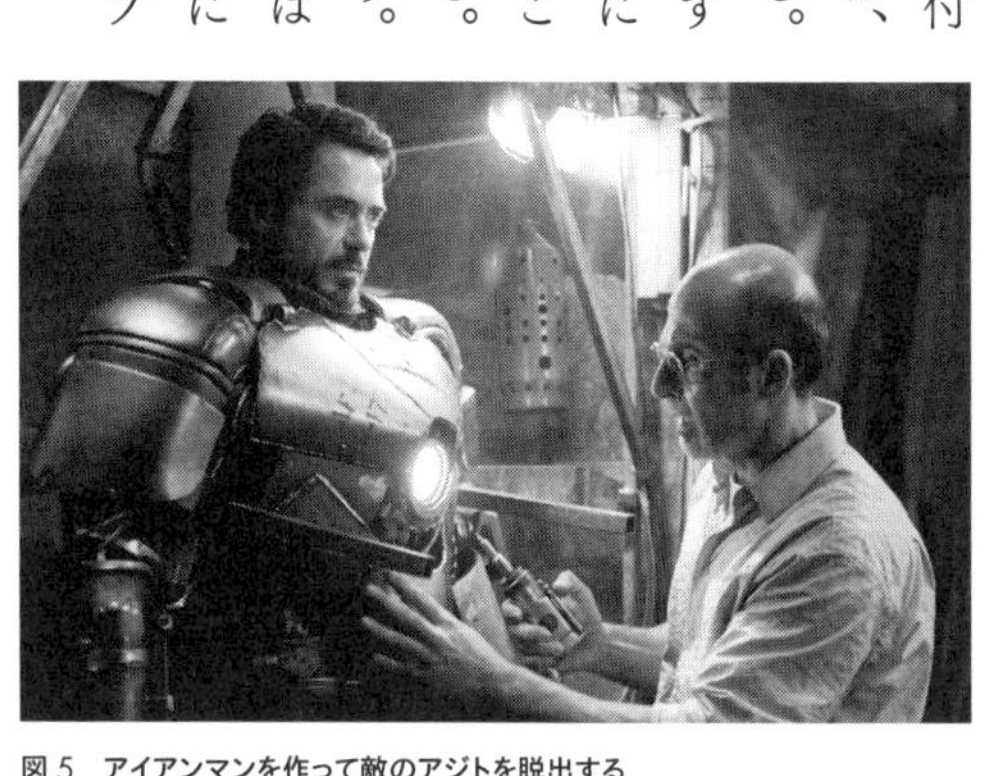

図5　アイアンマンを作って敵のアジトを脱出する

次が悩みのとき。主人公が目標に対し実現不可能じゃないかと悩み、身をすくめる。そしてその不安に答えを出し、出立を選ぶ。主人公がこのストーリーの問題に対して立ち向かうかどうかを決めていく。『アイアンマン』においては、兵器を作れと言われた主人公がその裏で脱出計画を立てる。人質仲間から「偉大なるスタークがこのままこの世を去るのか?」と諭される。富と名声を得ている主人公だったが、本当に愛する人はいない。それは虚しい人生ではないのか、本当の幸せとは何なのかを問われることによって、不安に立ち向かっていく。

第一幕の終了、第二幕へ

ここで第一ターニング・ポイントが生まれる。第一幕という古い世界を捨てて、第二幕という新しい世界に進む瞬間。主人公はアイアンマンを作り、脱出に成功する。

今まで主人公はずっと抑圧されてきた。嫌なやつであり、敵に捕まり、心臓に怪我をし

図6　アメリカに戻った主人公の記者会見を聞く秘書たち

て動けない状態だった。それがテロリストを殲滅させて帰還をする。抑圧を解放して、観客がカタルシスを感じる瞬間だ。さらに帰還した後は、「我が社は兵器製造を中止する」と、多くの観客が期待していたことを言う。これまで、このセリフを言うためにこの物語は構成されていると考えれば、とてもよく練られていることがわかるだろう。本当の意味での主人公が誕生した瞬間ともいえる。このとき観客が見たいと思っていた主人公になっていれば、構成がよく練られている証拠だ。逆になっていなければ、セットアップを見直してみよう。

次がサブプロット。本筋であるメインプロットだけで進むストーリーもあるが、ブレイク・スナイダーはここでサブプロットを何本か走らせることが大事だと説いている。おそらく、メインプロットだけだと真面目で堅いストーリーになってしまうからだろう。ターニング・ポイントの衝撃の後では、観客は疲れており、息抜きや気分転換として別のストーリーが見たくなっているわけだ。サブプロットはラブストーリーが多い。『アイ

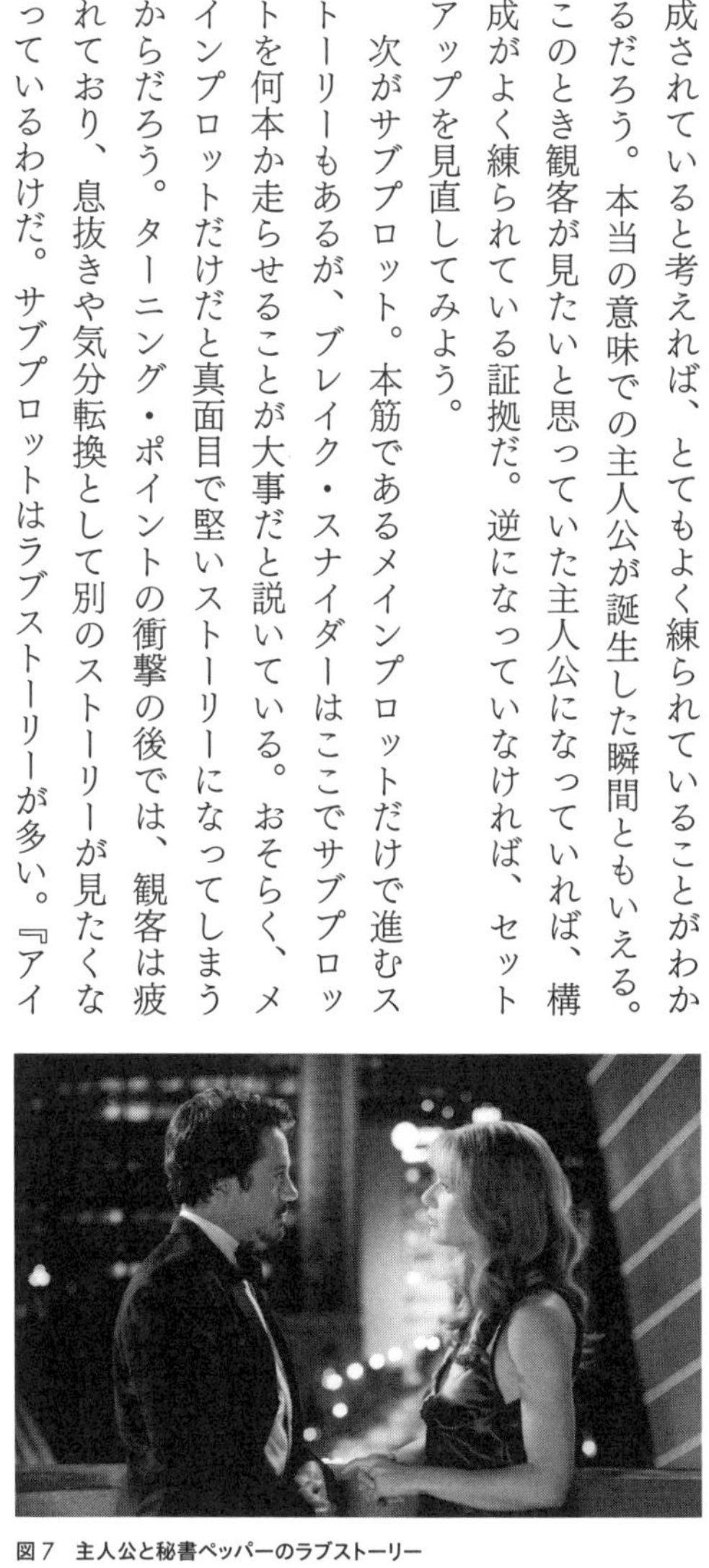

図7　主人公と秘書ペッパーのラブストーリー

アンマン』もご多分にもれず、ペッパーという秘書とのラブストーリーがはじまる。これまでがんばってきた主人公に対するご褒美でもあるし、主人公に感情移入をして一体化してきた観客に対してのご褒美でもある。

その次がお楽しみ。これはどういう意味かというと、観客がもっとも観たかったシーン、たとえば予告編で出てくるカッコいい映像が入っていたとしたら、それを入れる場所がここになる。お客様との約束を果たす場所ともいえるだろう。こういうシーンが最後にだけ出てくるのではダメで、真ん中あたりにいったん入れておくべきだ。最後にだけ入れておくと、観客にそれまで我慢を強いることになってストレスを感じさせてしまう。これはビデオゲームにおいても重要だ。普通の映画だと入れる箇所は、三〇分から五〇分ぐらいのところで入れておく。『アイアンマン』は六〇分あたりのところで登場しており、少し遅い位置にある。

図8　アイアンマンを完成させる主人公

ミッド・ポイントで絶好調から絶不調へ

お楽しみが終わった後がミッド・ポイント。時間的にちょうど真ん中の、重要な転換点だ。主人公は絶好調だ。テロリストを殲滅し、ヒロインと仲良くなり、アイアンマンの開発は順調で主人公はそれに夢中になっている。ここまで調子が上がっているのを、どのように絶不調まで下げるのか。観客の心のコントロールをしなければいけない箇所だ。これが効いているかどうかで、後半の展開の緊張感が変わっていく。ここではサブプロットもお楽しみも終わっており、本筋のストーリーラインに戻ってくる。ミッド・ポイントからいきなり危険度がアップする。『アイアンマン』では、ビジネスパートナーが裏切って武器の輸出をはじめていることがわかり、状況が暗転してくる。このとき、それに怒ってアイアンマンが出撃して、テロリストをボコボコにして帰ってくる。この絶不調と、見せかけの絶好調みたいなものを同時に表現していることが『アイアンマン』が巧みなところだ。

図9　アイアンマン出撃

次が迫り来る悪いやつら。ここからしばらく絶不調は続く。実はテロリストは態勢を立て直しており、総攻撃の準備を完了させる。しかも会社の重役がテロリストと繋がっていたことが判明する。主人公が最初に捕まったのは、全部この人間の手配だったとわかる。つまり一番悪い奴が近くにいたということがわかり、敵の危険度、シリアス度が急激に上昇していく。なお、ここの主人公とヒロインとの会話のシーンで、「生き残ったのは理由がある」、「わかったんだ、何をするべきか」など、主人公がテーマをすべて語ってしまうシーンがある。物語や主人公のテーマは、主人公が語らないでサブキャラクターが語るのが定石で、そのほうが観客に伝わるといわれているので、ここは映画の文法の定石とは微妙にズレているシーンではある。これは僕の解釈では、アイアンマンはこれまで大活躍をしていたが、ヒロインを通して「あなたは生死の淵にいるんだ」という主人公の危機を暗に強調しているセリフと捉えるのがいいのかもしれない。

図10　敵との決戦に備える主人公

次に敵の攻撃が成功するのが、すべてを失って。ミッド・ポイントが絶好調なら、ここはマイナスのミッド・ポイント。本当の意味での絶不調。心臓を守るリフレクターが盗まれて主人公は死にかける。しかも敵からはヒロインが死んだことを告げられる。実際のところヒロインは生存しているのだが、大切な人を失ったことを擬似的に表現しているわけだ。このシークエンスで主人公を肉体的にも精神的にも生死ギリギリのところまで追い詰めている。ここでスパイスとなるのが、直前のヒロインとの会話で描かれていた死の気配だ。ヒロインに「あなたが死ぬかも」と言われたり、死という言葉がふいにセリフに出てくる。これが絶不調の緊張感を高める。

第二ターニング・ポイントまですぐ移行

次は心の暗闇。主人公がすべてを失ったときに、主人公がどのような暗闇の心理状態なのか。この状況は五秒で終わることもあれば五分続く作品もあり、『アイアンマン』ではかなり省略

図11　アイアンマンの技術を盗んだ敵

している。新型リフレクターは盗まれたが、すぐに旧型のリフレクターを手に入れて、後は戦うだけ。第二ターニング・ポイントにすぐ移行する。すでに準備はできており、心の暗闇はほとんど描かれない。本来、ゆっくり描くのであれば、主人公は目的を語ったりもするが『アイアンマン』では、最後はもう戦うだけの状況に集約させている。復活することはわかりきっているので、ここで悩んだりして時間を割いてもテンポが悪くなるという判断かもしれない。これは『アイアンマン』独自の構成上の工夫といえる。

ここまできたら、後は戦うのみだ。ここでは敵を徹底的に強く設定したり、主人公にハンデがあったりする逆境を活かして、創意工夫しながら戦うことを描いていこう。たとえば『スター・ウォーズ』だと、デス・スターを破壊するのは難しい。しかし唯一の弱点が描かれた設計図を見つけたからには、後は戦うのみだが、戦いの最中、敵の猛攻でどんどん犠牲が出てしまう。『アイアンマン』においても、最新のリフレクターを取られたというハンデがある

図12　最終決戦

状況で、強敵との最後の戦いに向かう。

　最後はフィナーレ。戦って勝利する。古い秩序が滅び、新たな秩序に移行する。こういった展開は古典的であるが、多くの人の感情移入を誘う。古いものを新しいものが変えていくということ自体は誰にでも汎用できるストーリーだ。『アイアンマン』では、戦いのラストで主人公が倒れている映像が冒頭の倒れている映像と同じようなアングル、イメージで作られており、これは良く考えられている。もう一つは主人公が天才型なので、知恵を使って勝利するというクライマックスも作品の個性を際立たせている。こういう部分は演出の工夫である。

　そしてファイナル・イメージ。これは最初のオープニング・イメージと対になっており、世界に確かな変化が起きたことを表現する。オープニング・イメージで現れた不可能なことが、失敗しなくなった、可能になったことを表現する。ただし『アイアンマン』はそこまで厳密には表現しておらず、ファイナル・イメージはあまり重視されていない。具体的にはマーベル・シ

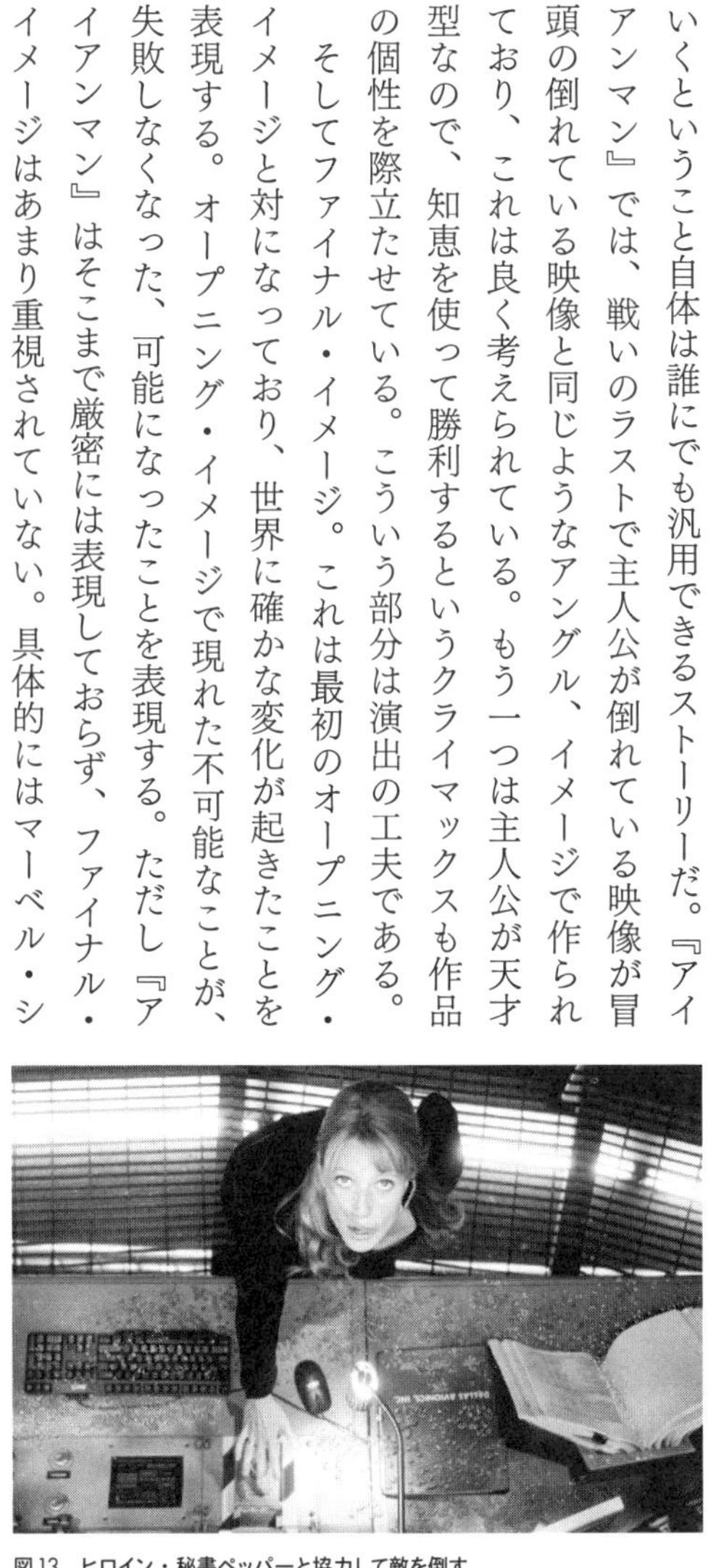

図13　ヒロイン・秘書ペッパーと協力して敵を倒す

ネマティック・ユニバースの第一作として、これから『アベンジャーズ』シリーズがスタートする、という終わり方だ。今作では例外だったが、もしもファイナル・イメージが思い浮かばない場合は、第二幕の再検討をしてみよう。意外なヒントが転がっているはずだ。

ここまで『アイアンマン』の15のビートを追いかけてきたが、前半から中盤は、時間的には後ろに倒れていたりしているものの、ストーリーの構造・構成としては相当高いレベルで原理原則を守っており、15のビートの機能のほとんどは盛り込まれている。自分の作品、自分が関わっている作品でこういった原理原則を意識しながらリライティングをすると、作品のクオリティが大きく上がるはずだ。

プロットのリライティング

さて、ここまでシナリオのノウハウを色々と紹介してきたが、いきなりシナリオを書いてみることはおすすめできない。これまでのノウハウはすべて、プロットを書き出すことに用いることができるので、まずはプロットから書いてみて、そのプロットで三幕構成やビートの要素を確認した後に、シナリオに入ることが大事だ。

プロットの段階でキャラクターに細かい肉付けはほとんど必要ない。それがなくても構成さえしっかりしていれば、面白いプロットは面白いストーリーになる。三幕構成やビートの要素を構造的に抜き出しているので、ほとんどのプロットは似ているし、似通っていても不安になる必要はない。マーベル作品の『アイアンマン』、『キャプテン・アメリカ』、『ブラックパンサー』などこれらをプロットにしてみたら、展開はほとんどがそっくりだろう。

ちなみにプロットとは、感情がどのように動くかというポイントをしっかりと設計図として、内部資料として作るものだ。キャラクターがこのタイミングで悲しむことを確認する叩き台であって、悲しむアイディアというのはシナリオの段階で考えればいい。悲しむアイディアが思いつかないから、悲しむ展開を誤魔化してプロットに書き込んでしまうと、なんとなく話が進んでしまい、そのほうが悪手となり得る。

そしてシナリオのリライティングはプロットを崩さないのが理想だ。プロットの機能がちゃんとシナリオで実現されているかということに徹してリライティングしていけば、本来であれば、シナリオのクオリティが落ちることはない。プロットで固まった部分をシナリオの段階で書き直したら設計図から壊してしまうのでおかしなことになってしまう。

『SAVE THE CAT の法則』はその本のタイトルからわかる通り、主人公が猫を助けようとすれば、観客は主人公に好感を抱き、感情移入するだろうという身も蓋もないメソッドを指摘している。だが、ここで問題なのは「主人公」や「感情移入」とは何かである。たとえば映画史に残る名作『ローマの休日』の主人公は誰だろう。オードリー・ヘプバーン演じるアン王女なのか、それともグレゴリー・ペックが演じるジョー・ブラドリー記者なのか。こういった問題を読者の人には考えてもらいつつ、次の第2章では三幕構成の主人公や、ビデオゲームの主人公について分析していこう。

第2章

主人公と観客の感情をコントロールする秘訣とは?

主人公と感情曲線

三幕構成でもっとも大切なのは第一幕

この第2章で語ることは、主人公とは何かという分析だ。実はこのことは第1章の三幕構成や15のビートの中で語るべき問題なのだが、僕は三幕構成の中で一番重要なのはセットアップだと考えており、一つの章として大きくピックアップして書いたほうがいいと判断した。

映画で盛り上がるのは、第二幕と第三幕の間だったりするので観客はそこを重要視しそうだが、クリエイター側の視点でみたとき、もっとも重要なのは第一幕のセットアップなのである。映画の盛り上がりや緊張感も、主人公の目的や状況をセットアップで観客に理解させたからこそ成り立つものだ。

また三幕構成は映画に特化したメソッドであると第1章で説明したが、このセットアップはあらゆるストーリーメディアに応用が利く箇所であり、もっとも習熟しておいて損はないノウハウなのだ。たとえば連載マンガや運営型ゲームでは、一例として「セットアップ、葛藤、解決、葛藤、セットアップ、葛藤、解決……」といった具合の構成になっている。注目すべきは葛藤と解決はメディアによって書き方が変わるが、冒頭のセットアップは共通しているところだ。セットアップをループさせるのが連載マンガ、三幕構成でクローズさせるのが映画というメディアの違いだといえる。このセットアップで主人公のことを理解させることができなければ、あらゆるストーリーは最初でつまずいてしまう危険性がある。また一方でビデオゲームは特殊な例で、主人公の考え方が他のメディアとは違う。主人公だけではなくプレイヤーがいて、そこには選択肢などのインタラクティブ性が用意されているからだ。このことについても本章では分析していく。

感情移入と共感の差異を考える

まず言葉を整理してみよう。僕は感情移入と共感は違うものだと捉えている。これらを「デジタル大辞泉」で調べると、共感は「他人の意見や感情などにそのとおりだと感じること。また、その気持ち」、感情移入は「自分の感情や精神を他の人や自然、芸術作品などに投射することで、それらと自分との融合を感じる意識作用」と出てくる。

これは一見して似ているようだが、まったく違うものだ。共感という用語には現実の生活や経験が前提に置かれているが、感情移入という用語はフィクションが前提で個人的な経験に縛られるものではない。ところがここ最近、共感という言葉がフィクションの感想などで使われはじめているので、事態がややこしくなっている。観客のニーズとして、これまであった感情移入の定義だけでは通用しなくなってきているのかもしれない。共感という言葉がフィクションにおいて使われてきた現在の視点に立ち、これらの概念を整理する必要がある。

共感できる主人公を分析する

繰り返すことになるが、感情移入が自分の感情を他のキャラクターに投影して融合する意識作用ならば、観客が「この主人公に共感できない」といったとき、それは単純に感情移入に失敗しているだけとみていいだろう。しっかりと考えなければいけないのは、「この主人公に共感できる」と観客が受け止めるとき、それは何を意味しているかということだ。そこには「感情移入ができた」とは違う意味合いが含まれているかもしれない。

まず素朴に考えられることは、フィクションの出来事と自分の主観的な経験が合致したとき、それは共感できるものとなり得ることだ。たとえば遅刻で上司に怒られたばかりの人が、遅刻を上司に怒られるシーンが映画で出てきたら、その人にとっては嫌な思い出が蘇ってきて「共感ができた」という感想が出てくるというわけだ。とはいえ、ここには何もノウハウがない。これはテクニックではなく、ただの偶然の産物だ。

では、違うパターンの共感できる主人公とは何か。「巻き込まれ型」というストーリーの類型がある。災害などの異常事態に振り回されたとき、そこで描かれる人々の反応はほとんどが同じものだ。火山が爆発したり、地震が起こったら、誰しも畏怖し恐怖するだろう。つまり遅刻を怒られたという極めて個人的なことよりも、多くの人が同じリアクションを示すような出来事があり、それに対する主人公の常識的なリアクションに観客は共感を抱くわけだ。このように考えると、共感できる主人公を形作るのは、主人公そのものではなく状況が決定すると言い換えていいだろう。ここで求められているのは、主人公の魅力やどのような自発的な行動をするかといったものではなく、一般的で素朴な反応なのだ。だから常識的で無色透明なキャラクターこそが、共感できる主人公となり得る。とはいえ普通に考えると、そのような主人公だけではストーリーは面白く転がっていかないので、周りの異常な状況が主人公の反応を引き立てることによって、エンターテインメントとして成立しているわけである。

常識的な主人公が振り回される『オン・ザ・ロック』

一例を出してみよう。ソフィア・コッポラが監督した『オン・ザ・ロック』という映画がある。主人公は子供二人を育てながら普通に生活している主婦で、取り立てて個性があるわけではない。夫はＩＴ企業の社長なのだが、新しく会社に入った同僚と残業を繰り返すようになり、もしかして浮気してるんじゃないか？と主人公は疑いはじめる。だが主人公はそこで何か行動を起こすわけではない。日常を犠牲にしてまで行動に移してしまうと、主人公に観客とは違う強力な個性が出てくるからだ。

映画はここから「巻き込まれ型」に発展していく。主人公のお父さんをビル・マーレイが演じているのだが、こいつが曲者だ。「絶対不倫してるぜ」、「つきとめるぞ」、「子供なんて預けてしまえ、行くぞ」と言って主人公を無理やり、不倫を調査する旅路へと突き動かすのだ。このお父さんの存在こそが、この映画最大の面白味だ。主人公のキャラクター自体には特別な魅力はない。すごく常識的な主人公だ。だからこそビル・マーレイの変人っぷりと、それに右往左往している主人公の反応をみているのが観客は楽しいのだ。自分を非常識と思っている人間は少ない。自分は常識的な人間と考えているからこそ、変人に戸惑う主人公の反応は共感できるキャラクターになっているわけだ。

感情移入とは行動で納得させること

逆にこのビル・マーレイのような非常識で変人である共感できないキャラクターは主人公として成り立つだろうか。答えはイエスだ。たとえば第1章で分析していった『アイアンマン』のトニー・スタークが完全に当てはまるだろう。なぜトニー・スタークのような傲慢な男に観客は自分を投影できたのだろうか。それは第1章でみてきたように、セットアップができていれば感情移入ができるからだ。つまり変人や曲者、あるいはほとんどの人が経験したことがない特殊な職業についている人、そういった他者であることに自己投影するのが、（共感と対比した上での）映画における感情移入といえるだろう。

たとえば家が火事になったとき、中に他人のペットが残されていたとしたら助けにいくだろうか。ほとんどの人は消防車を呼んで、固唾を呑んで見守るしかない。これは共感的なキャラクターであり、エンターテインメントとしては成り立ちにくい。また助けにいったとしても「そんな人間は現実にはいない」となって、主人公が理解できないものとなるおそれがある。だが、もし「火事の中でも助けにいくようなキャラクター」として、すでにセットアップができていたとしたら、どうだろうか。トニー・スタークだったら火事の中を他人のペットを助けにいっても、観客は違和感を覚えない。

シド・フィールドの言葉に「主題（テーマ）は、アクション（行動）とキャラクターだ」というものがある。字義通りに受け取ると少々わかりづらいが、僕なりに翻訳すると、「映画の主人公は行動（アクション）で理解させていく」となる。映画は、カメラで撮ったものが光学的にフィルムに焼き付けられた映像でしかないので、そこにキャラクターの心理は写らない。小説だとモノローグが書かれているが、逐一モノローグがある映画は稀だろう。ではその登場人物のキャラクター性は何によって滲み出てくるのかというと、画面に映る行動とセリフでしかない。シド・フィールドが重視しているのは行動のほうで、それを積み重ねることによってキャラクター性が生まれてくると力説している。もちろん、その大前提にはセットアップがあることを忘れてはいけない。セットアップがあるから行動が納得できるものとなるのだ。

魅力的な主人公の四つの要素

次にシド・フィールドが提案する、魅力的な主人公の四つの要素を僕なりに分析してみよう。ところでシド・フィールドは、「魅力的な主人公の四つの要素」ではなく「魅力的なよい登場人物を作るための四つの要素」と本では書いている。これは三幕構成と合わせて文脈からいえば、主人公のことを指しているのは間違いないと思う。そこで僕なりに以降、「主人公」として引用を書き換えているので注意をしてもらいたい。四つとも書き出してみればわかるが、シド・フィールドが意図しているのは、僕の定義によるところの共感型の主人公ではなく、感情移入させるための主人公であることがわかる。

まず一つ目は「主人公は強力ではっきりとした〝ドラマ上の欲求〟を持っていること」と書いてある。これはつまり主人公が解決しなければならない問題＝セントラル・クエスチョンのことだ。とはいえ、シド・フィールドが説いているのとは違い、強力といえるほどの欲求を持たない主人公がいる場合もある。たとえばさきほどの『オン・ザ・ロック』の場合、主人公は受動的な存在なので、生活を壊してまで夫が不倫しているかどうかを知りたいというのは、強力といえるほどの欲求ではない。ただセントラル・クエスチョンの欲求は主人公の魅力に直結していく。セントラル・クエスチョンが強ければ強いほど、主人公は魅力的になり、自身で事件を巻き起こしていくからだ。『アイアンマン』だとトニー・スタークはアイアンマンを作り、テロリストを殲滅していく。行動的にどんどん事件を自分で起こしているわけだ。一方で序盤ではテロリストに捕まり、「巻き込まれ型」の主人公の様相を見せる。そのような二面性が両立しているからこそ優れた主人公といえるだろう。

二つ目は「その人の独自の考え方、ものの見方を持っていること」。まさに共感型の主人公とは正反対の存在だ。誰しもが逃げ出す異常事態のときに、逃げないことを選択する主人公はとてもキャラクターが立つ。このような主人公独自の考え方を持っていれば、主人公を描くのが楽になる。ただしビデオゲームについては、プレイヤーと主人公が一体なので、無色透明の共感型の主人公も多い。たとえば選択肢があっても、当たり前の反応を用意して書くことが多い。ビデオゲームについては後で詳しく分析するが、ビデオゲームでも映画に似た、より個性的な主人公を描くときがある。その場合、このシド・フィールドの理論は参考になる。

三つ目が「あるものに対する態度を体現していること」。これは二つ目の「独自の考え方」に似ており、実際、シド・フィールド自身もこの「考え方」と「態度」の違いを説明するのに本では苦慮しているようだ。二つ目に示した「考え方」の場合、行動で見せなければいけない意味合いが強いが、この三つ目はもっと生活レベルでのディティールのことを指しているのだろう。

四つ目は「何かしらの変化や変身を遂げること」。これは主人公の特権ともいえる。変化や変身を遂げるからこそ、主人公は魅力的になる。また必ず終盤だけに変化があるわけではなく、もっと手前の中盤にも配置していいのが僕の考えだ。これは一つ目のセントラル・クエスチョンとも関わってくる。もし中盤に変化を遂げるなら、そのセントラル・クエスチョンは途中で解消してもらっても構わない。もちろんその場合は、新しいセントラル・

クエスチョンを立ち上げることが大切だ。

シド・フィールドの原著は一九七九年に発刊されたもので、かなり古い。三幕構成についてはいまだに強固だが、主人公の考え方については「違う」という人もいるかもしれない。ただこうした古典的な事例から何かを学ぶことは大切だ。

何についての映画なのか、「映画の主人公性」を知る

三幕構成を要する劇映画は、シナリオとは本質的に主人公を描くために存在しているといっても過言ではない。原則的に主人公がどうでもいいという映画は存在しない。三幕構成も15のビートも、そして後で述べることになる感情曲線も、すべては主人公のためのものだ。脇役の感情曲線が書かれていても大して意味を持たない。またシナリオだけではなく、あらゆる演出技法を動員して、この登場人物こそが主人公であるのだ、ということを映画は観客に無意識下にさえも伝えようとする。映画演出は、主人公と主人公ではない登場人物について、レンズ、カメラの距離、カメラの角度を巧妙に用いて、主人公に特別性を与えようとする。ストーリーやセリフがなくとも、映像に込められた潜在的な差異によって登場人物に主人公性を与えようとするのだ。

たとえば二人の登場人物が会話しているとき、この二人を結ぶ見えない線をイマジナリーラインと呼ぶ。この片方の登場人物に主人公性を与えようとしたとき、主人公の視点のカメラはイマジナリーラインに対して角度は浅いほうがいい。主人公の目線に近い角度にカメラがあると、主人公が見ているという主観性が出てくるためだ。

またシーンによるが、主人公を写す場合はカメラが近く標準または広角レンズを使うほうがいい。逆に主人公以外を写している場合は、望遠レンズで遠くから撮る。主人公が写っている映像は主観ではないので、イマジナリーラインから離れた角度で撮る。これをやるだけで誰が主人公かというのが無意識に伝わっていくのだ。こういったことを間違えて撮ると、シーンの印象が随分と変わってしまう。たとえば主人公が事件を目撃する場面だと、見たほうに角度が近くないと「見てしまった!」という角度にならない。主人公が写っている映像の角度を浅くしてしまうと、下手をすると真逆の「見られた!」という印象を与えてしまう。映画はこのように主人公性についてのノウハウがシナリオ技術だけではなく、映像演出においても確立されている。

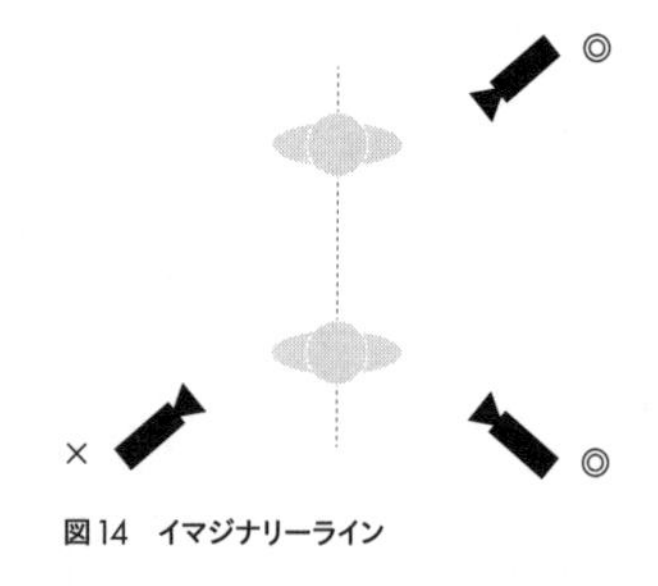

図14　イマジナリーライン

新しいノウハウ「感情曲線」とは

近年、注目を浴びている「感情曲線」というノウハウがある。特に詳しくまとまっているのはWebサイト「MIT Technology Review」にて、Emerging Technology from the arXivが寄稿した「物語の作り方は6つしかないことがビッグデータ解析で判明」という二〇一六年の記事だ。[*2] この記事によると、もともとは『タイタンの妖女』、『スローターハウス5』で有名な小説家カート・ヴォネガットが、ストーリーの感情を曲線のグラフで表したことがはじまりらしい。こういった感情を曲線で分析する手法を用いて、バーモント大学がコンピューターを用いて一七〇〇以上の物語を分析したところ、類型は核となる六つの類型に分けられることがわかった。

その六つとは「一定して継続的な上昇型」、「一定して継続的な下降型」、「下降から上昇型」、「上昇から下降型」、「上昇⇓下降⇓上昇型」、「下降⇓上昇⇓下降型」といった感情曲線だ。たとえば「一定して継続的な下降型」は『ロミオとジュリエット』、「下降⇓上昇⇓下降型」は『オイディプス王』、「上昇⇓下降⇓上昇型」は『シンデレラ』などが該当する。

*2　MIT Technology Review：物語の作り方は6つしかないことがビッグデータ解析で判明
https://www.technologyreview.jp/s/2859/data-mining-reveals-the-six-basic-emotional-arcs-of-storytelling/

この中でもっとも多くの物語で利用されているのは、「上昇⇓下降⇓上昇型」の『シンデレラ』型の曲線だ。ここで僕の第1章の『アイアンマン』の分析を思い出してもらいたい。「上昇⇓下降⇓上昇⇓下降⇓上昇」となっており、真ん中の上昇を被らせる形で『シンデレラ』型曲線を二度繰り返す形となっていることがわかるだろう。15のビートと合わせて考えれば、最初の上昇が「セットアップ」、最初の下降が「悩みのとき」、真ん中の上昇が「第一ターニング・ポイント〜お楽しみ」、最後の下降が「ミッド・ポイント〜すべてを失って」、最後の上昇が「第二ターニング・ポイント〜フィナーレ」といった具合になる。

なお補足すると、この感情曲線とは主人公の感情という前提があることだ。そしてその主人公に読者や観客が共感、また感情移入することによって、主人公と

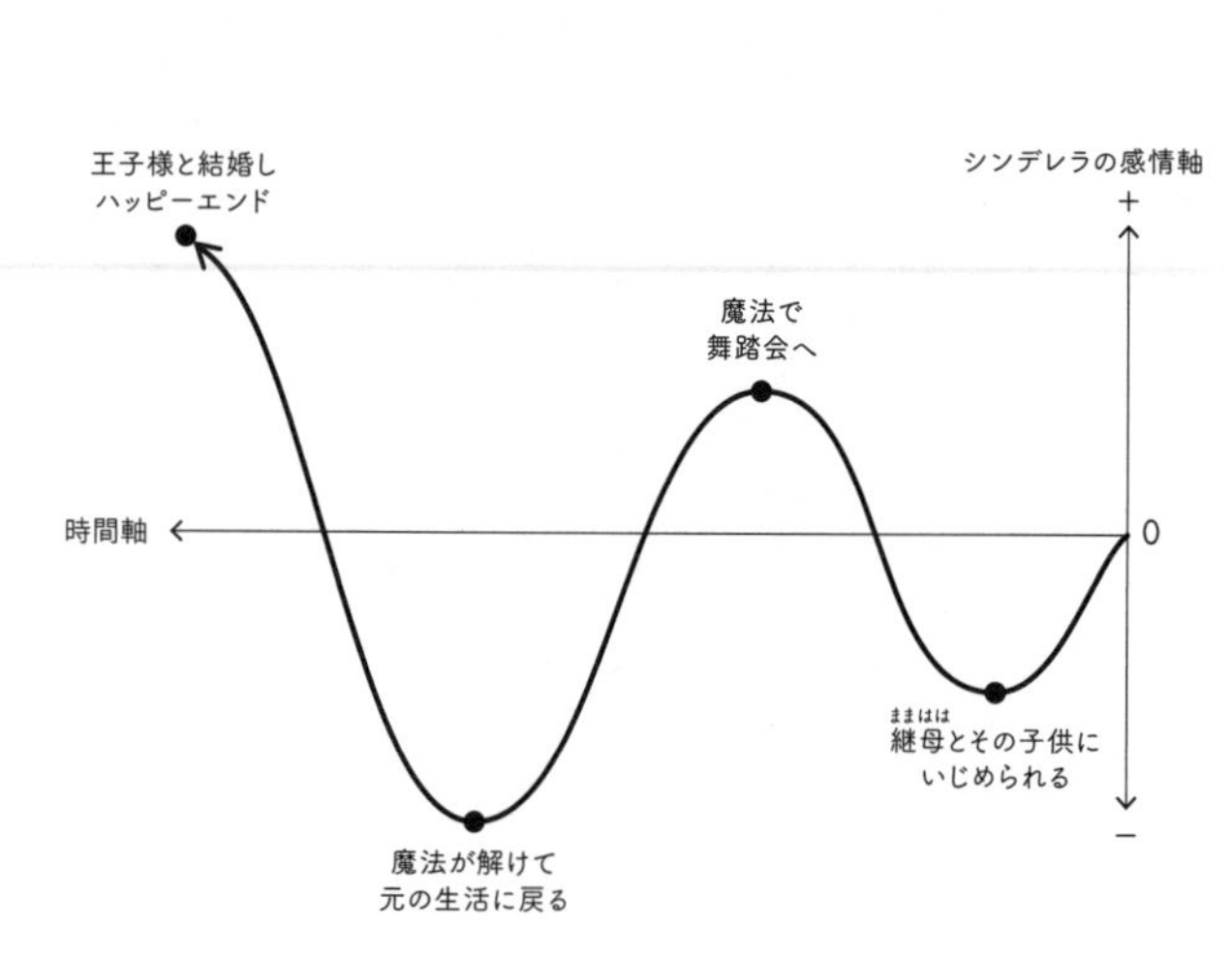

図15 『シンデレラ』型曲線

一緒に観客の感情が揺り動かされるのだ。

この感情曲線の記事はエンターテインメント業界でシェアされて、僕も読んでいた。またカート・ヴォネガットの先例のように、ストーリーの流れをグラフで表そうという試み自体は記事が掲載された二〇一六年当時、それほど新しい発想ではなかったと思う。この感情曲線が日本で注目されたのは、大ヒットしたアニメ映画『君の名は。』の新海誠監督が、映画公開翌年である二〇一七年に自身のTwitterで感情曲線に基づいて『君の名は。』のリライティングを重ねたことを明らかにしたことだ。これはTwitterでも大きな反響があったし、また感情曲線を実際のノウハウとして緻密に落とし込んだことは、僕としても驚きだった。

ただし新海誠監督が公開した『君の名は。』の感情曲線は制作途中のもので、その最終形は明らかになって

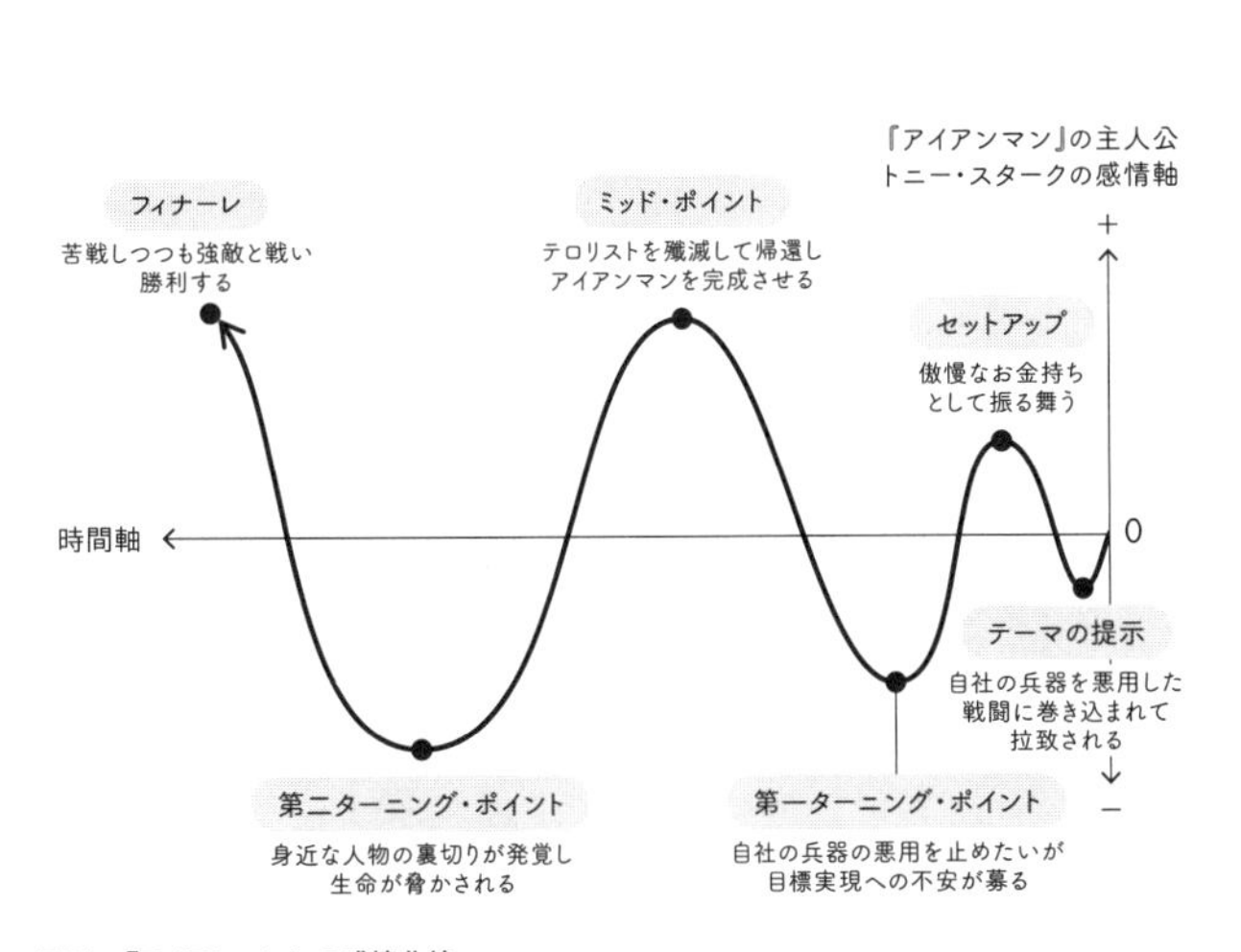

図16 『アイアンマン』の感情曲線

いない。またプロット段階で制作したのか、絵コンテ段階で制作したのかわからない。また曲線のグラフをシナリオに力点を置いたのか、映像演出に力点を置いたのかも不明である。そこで僕が『君の名は。』を感情曲線として分析してみて、その性質を明らかにしたい。新海誠監督が公開した感情曲線とは微妙に違う部分もあるのだが、大筋では間違っていないだろう。

感情曲線とは主人公の感情曲線であることをすでに述べたが、『君の名は。』が特殊なのは立花瀧（たちばなたき）と宮水三葉（みやみずみつは）の二人の主人公がいることだ。この場合、第1章の三幕構成のときに述べた、主人公が解決しなければいけない問題、セントラル・クエスチョンは二つあるということになる。またそれぞれに表面上の目標と、本質的な目標があり、これを念頭に置くと『君の名は。』のセントラル・クエスチョンが二重構造になっているというユニークな点が見えてくる。

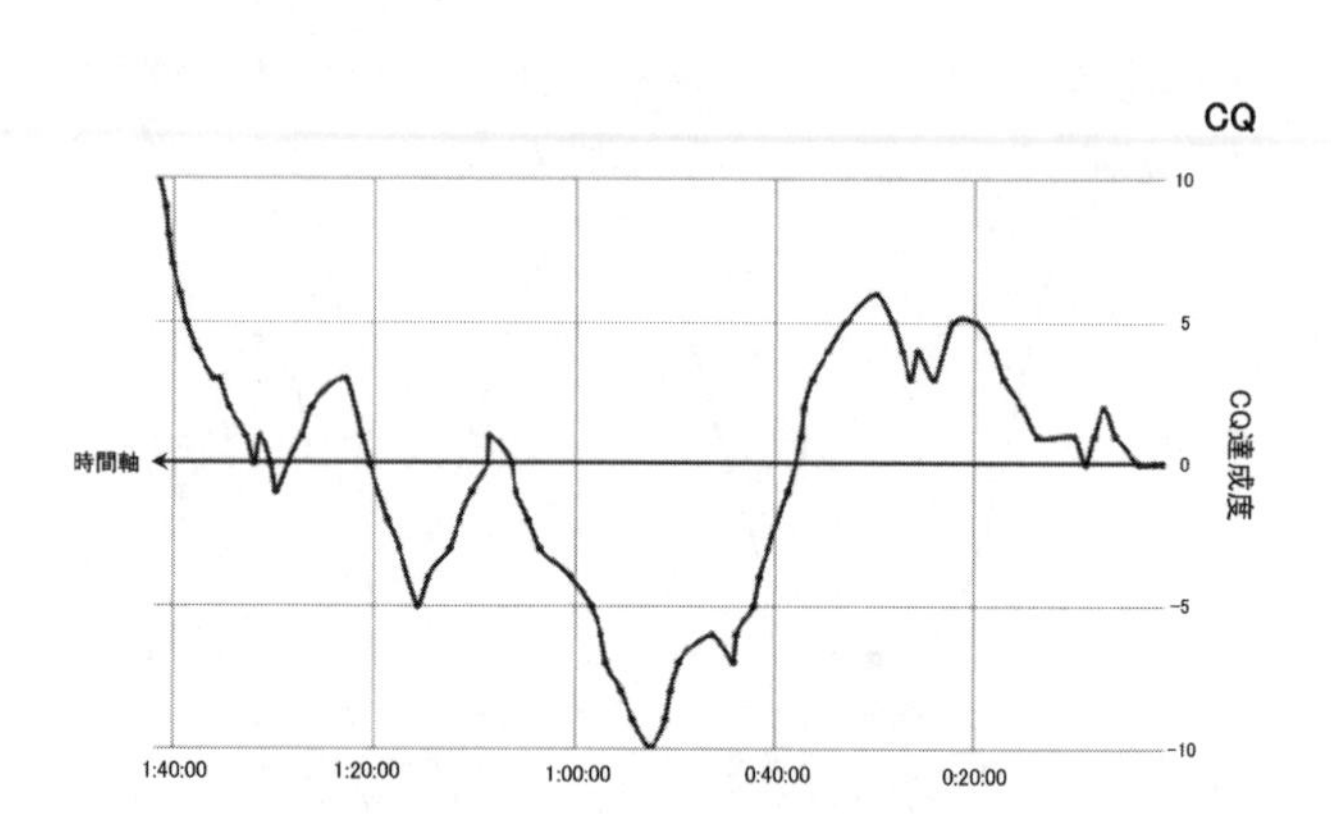

図17[*3]　橘康仁（たちばな やすひと）さん制作の『君の名は。』の感情曲線の全体像

この感情曲線の分析は『全裸監督』などで有名な映画プロデューサー橘康仁（たちばな　やすひと）さんがご自身の物語作成講座で制作したものをお借りして、僕が追加で補足解説したものである。

＊3　図のCQとは、セントラル・クエスチョンのことである

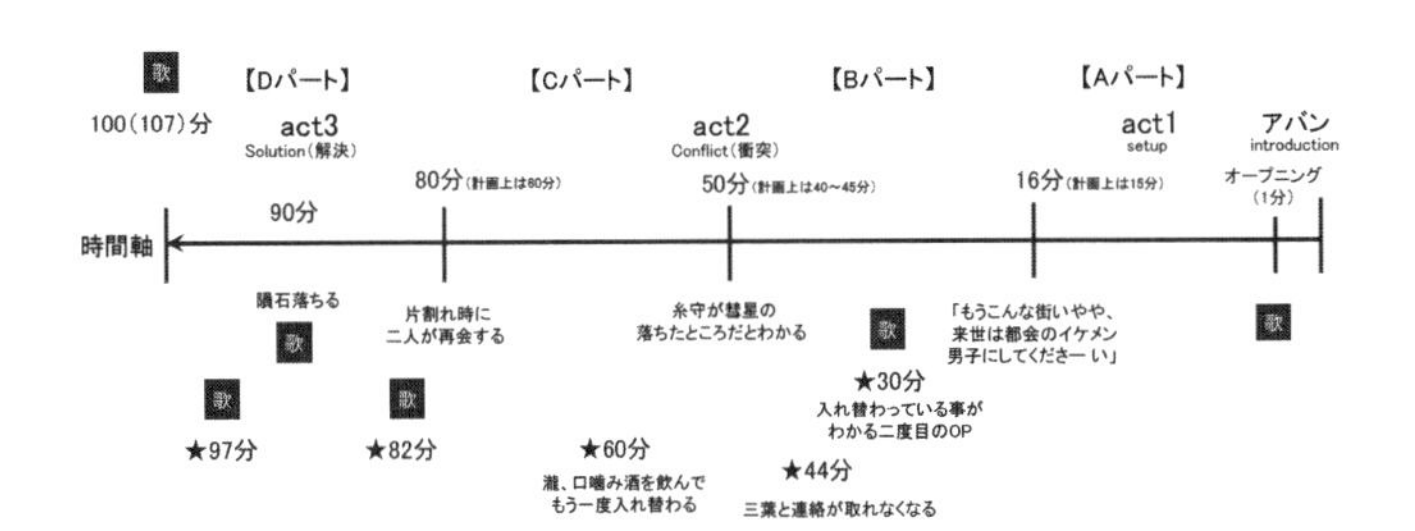

図18　イシイジロウ制作の『君の名は。』の構成図の全体像

『君の名は。』の感情曲線分析

時間	パート	内容	変化	値
00:01:00	アバン・タイトル	アバン・タイトル。モノローグで「忘れてしまったことがあるような気がする」。これはキャラクターを理解するための情報になっておらず、複数回観るためのしかけになっている。	(± 0)	0
00:01:50		（三葉主体）タイトル。主題歌が入るのが「映画だ」という雰囲気を作るのに役立っている。ここからドラマがはじまる。	(± 0)	0 歌
00:03:20	act 1（A パート）入れ替わりの謎	（三葉主体）夢を見る。「瀧くん覚えてない？ 名前は、三葉」。目覚める。入れ替わっているという謎の提示。	(± 0)	0
00:05:40		（三葉主体）おばあちゃんとの会話から、「彗星(すいせい) 一か月後に肉眼でも」とニュースに出ている。世界観の設定を少し説明してから、ちょっと感情曲線が上がっていく。入れ替わりはすでに過ぎていて、もとの体に戻っている。	(+1)	1
00:06:50		（三葉主体）家を出る。綺麗な街を歩いて最初のBGMが入る。『君の名は。』でBGMが流れるのは遅く、ここまでずっと流れていない。BGMは曲線を上げるときに流すのが有効だ。	(+1)	2
00:07:50		（三葉主体）父親の選挙演説に出くわす。「町長と土建屋はその子供も仲いいな」と同級生に揶揄(やゆ)される。選挙の話になって、嫌味を言われて感情曲線	(-1)	1

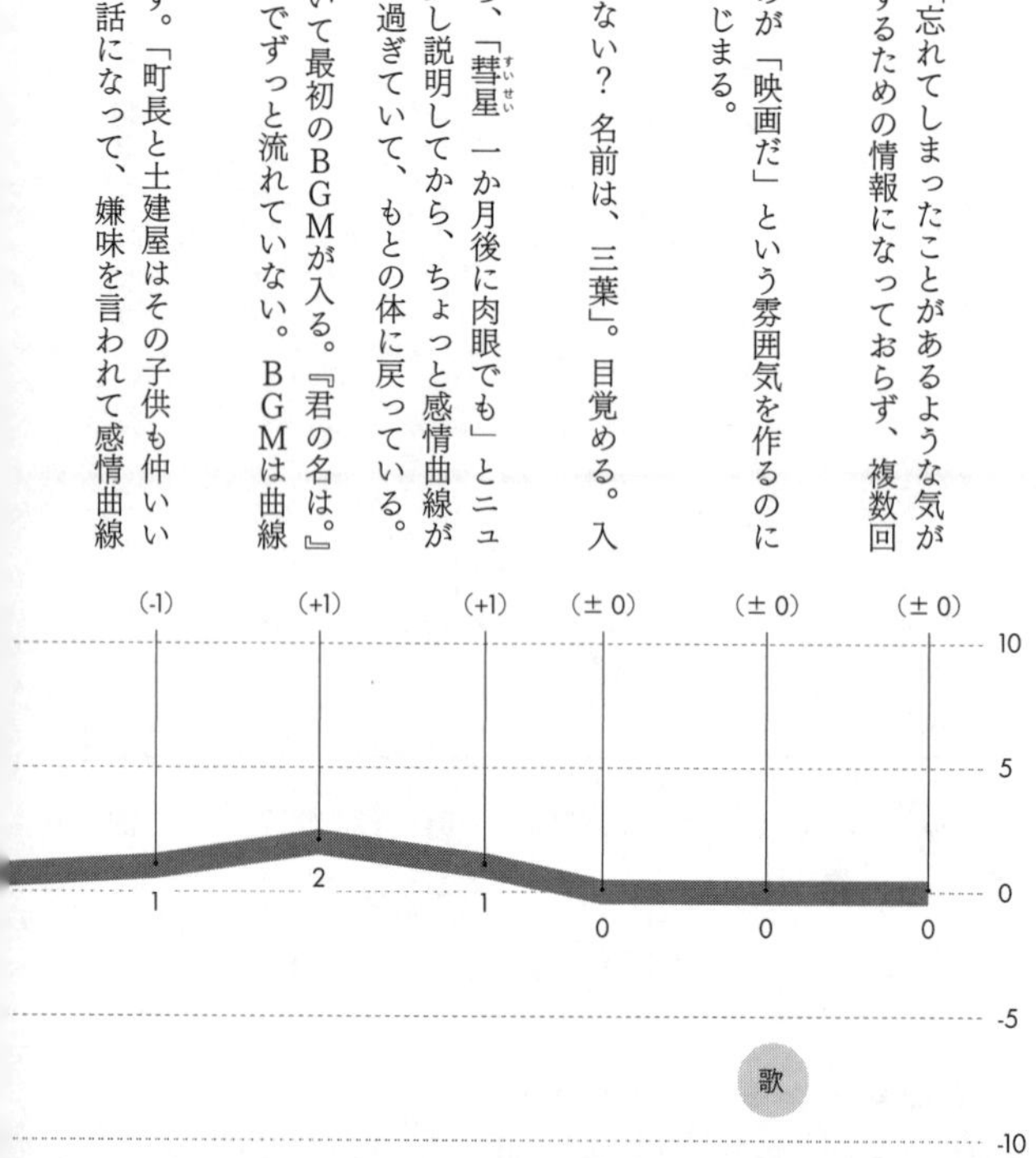

（グラフ目盛：10 / 5 / 0 / -5 / -10）

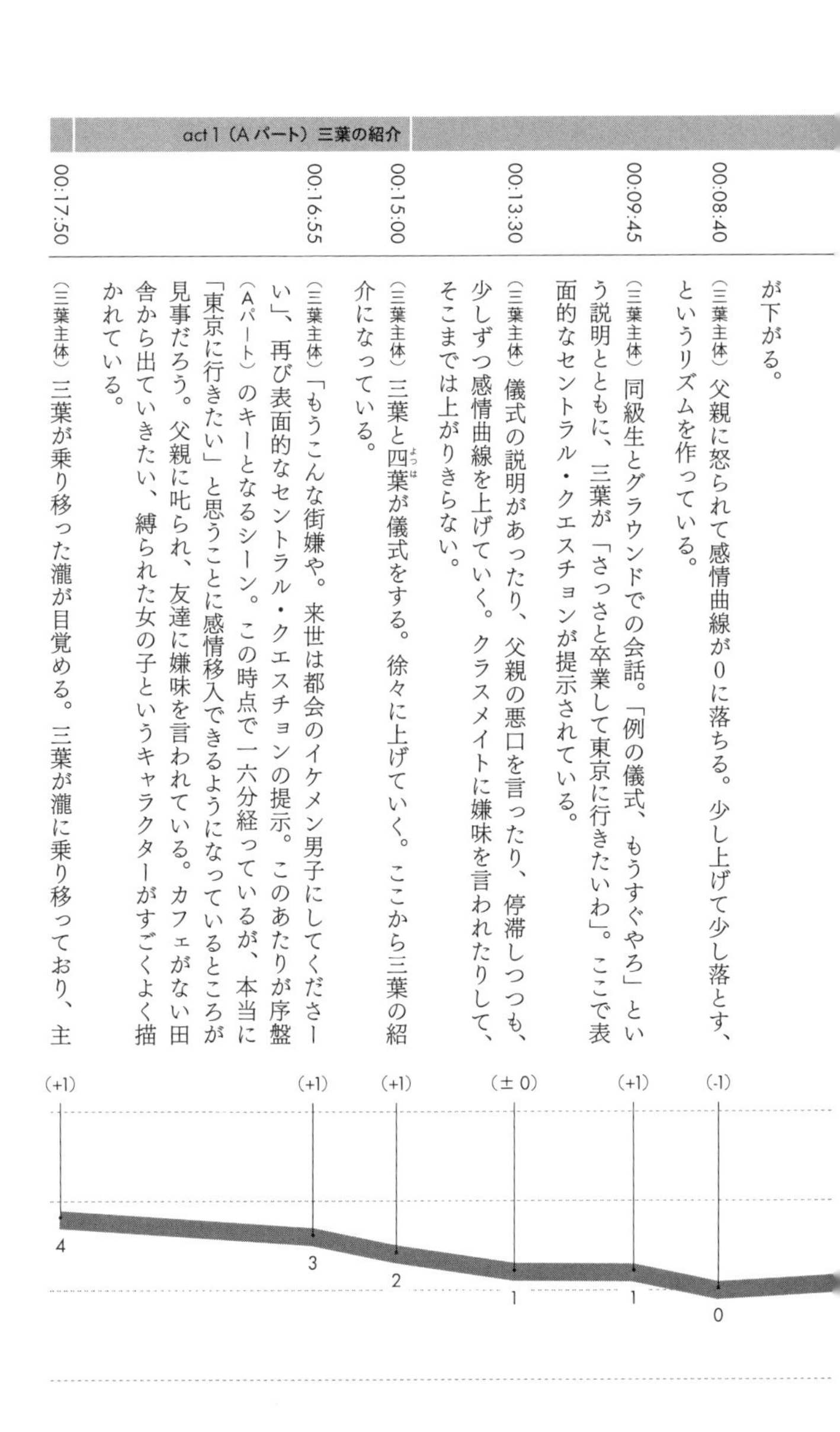

act1（Aパート）三葉の紹介

が下がる。

時間	内容	増減	感情曲線
00:08:40	（三葉主体）父親に怒られて感情曲線が0に落ちる。少し上げて少し落とす、というリズムを作っている。	(-1)	0
00:09:45	（三葉主体）同級生とグラウンドでの会話。「例の儀式、もうすぐやろ」という説明とともに、三葉が「さっさと卒業して東京に行きたいわ」。ここで表面的なセントラル・クエスチョンが提示されている。	(+1)	1
00:13:30	（三葉主体）儀式の説明があったり、父親の悪口を言ったり、停滞しつつも、少しずつ感情曲線を上げていく。クラスメイトに嫌味を言われたりして、そこまでは上がりきらない。	(± 0)	1
00:15:00	（三葉主体）三葉と四葉（よつは）が儀式をする。徐々に上げていく。ここから三葉の紹介になっている。	(+1)	2
00:16:55	（三葉主体）「もうこんな街嫌や。来世は都会のイケメン男子にしてくださーい」、再び表面的なセントラル・クエスチョンの提示。このあたりが序盤（Aパート）のキーとなるシーン。この時点で一六分経っているが、本当に「東京に行きたい」と思うことに感情移入できるようになっているところが見事だろう。父親に叱られ、友達に嫌味を言われている。カフェがない田舎から出ていきたい、縛られた女の子というキャラクターがすごくよく描かれている。	(+1)	3
00:17:50	（三葉主体）三葉が乗り移った瀧が目覚める。三葉が瀧に乗り移っており、主	(+1)	4

体は三葉だが、しばらくは瀧の紹介のシーンにもなっている。ここがプロットポイント（1）。「東京に出ていきたい！」と言ったら、本当に東京にくることができてしまった。

act 2（Bパート）瀧の紹介

00:20:42　（三葉主体）瀧、外に出るとそこは憧れの東京。上げるときにはちゃんとハッピーなBGMが流れる。

00:22:08　（三葉主体）瀧、憧れのカフェに行く。三葉のセントラル・クエスチョンの表面的な解決はここで実現できている。表面的なセントラル・クエスチョンではあるが、あっさりと解決するのが、本作の作劇において冒頭から観客が惹きつけられるポイントだろう。

act 2（Bパート）人間関係の変化

00:24:00　（三葉主体）嫌な客が現れる。瀧が憧れるヒロイン、奥寺ミキが現れ、人間関係が変化する。さっきまでは瀧の紹介と、三葉の表面的なセントラル・クエスチョンの実現を二重に描いたが、ここから変化が訪れる。

00:25:40　（三葉主体）カフェに行く。バイトで嫌な客が現れ落としているところから「女子力が高い」で一度上げて、「片思いかな」で落としている。

00:26:20　（三葉主体）瀧の携帯を見て「片思いかな」と言う。これは瀧の表面的なセントラル・クエスチョンである。瀧が「あの片思いの先輩と恋人になりたい」までをセットアップ、そして本物の瀧が現れて、感情曲線は上がっていく。このように『君の名は。』のすごいところは、キャラクターの入れ替えの二重性によって、感情曲線がそれぞれ多重性を持っているところだ。これが

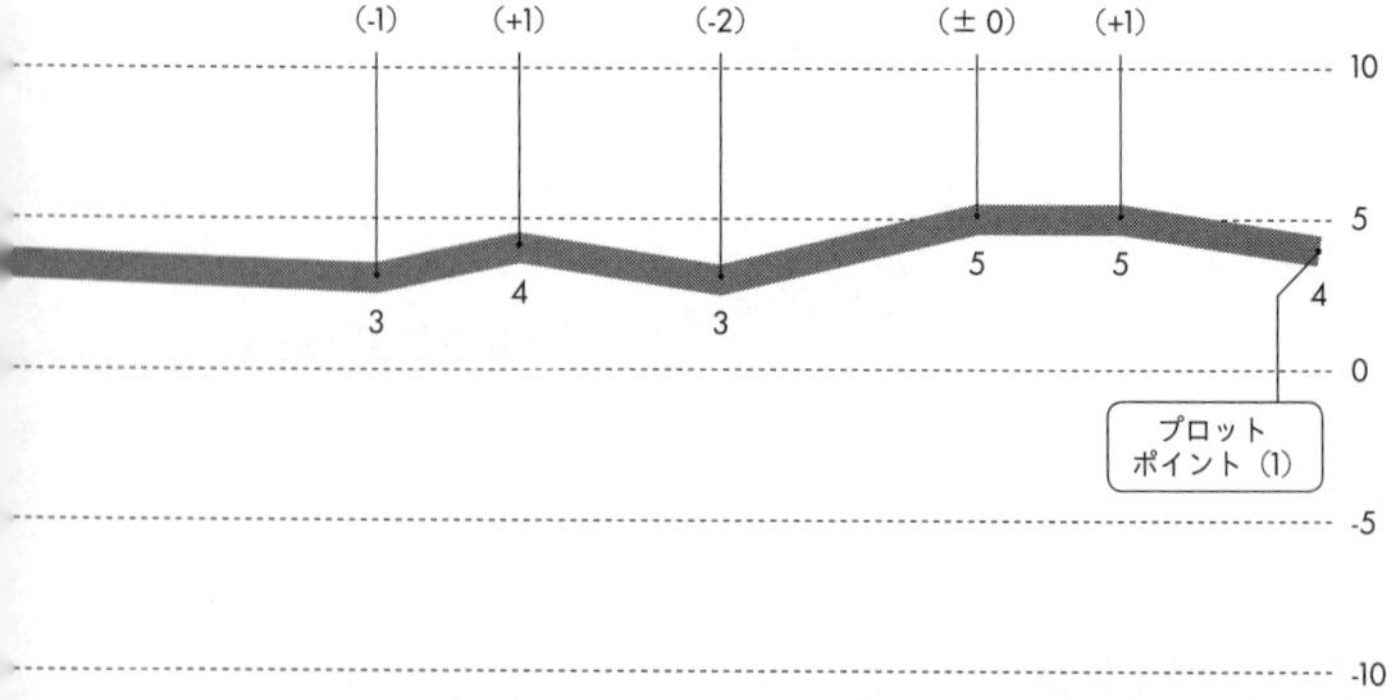

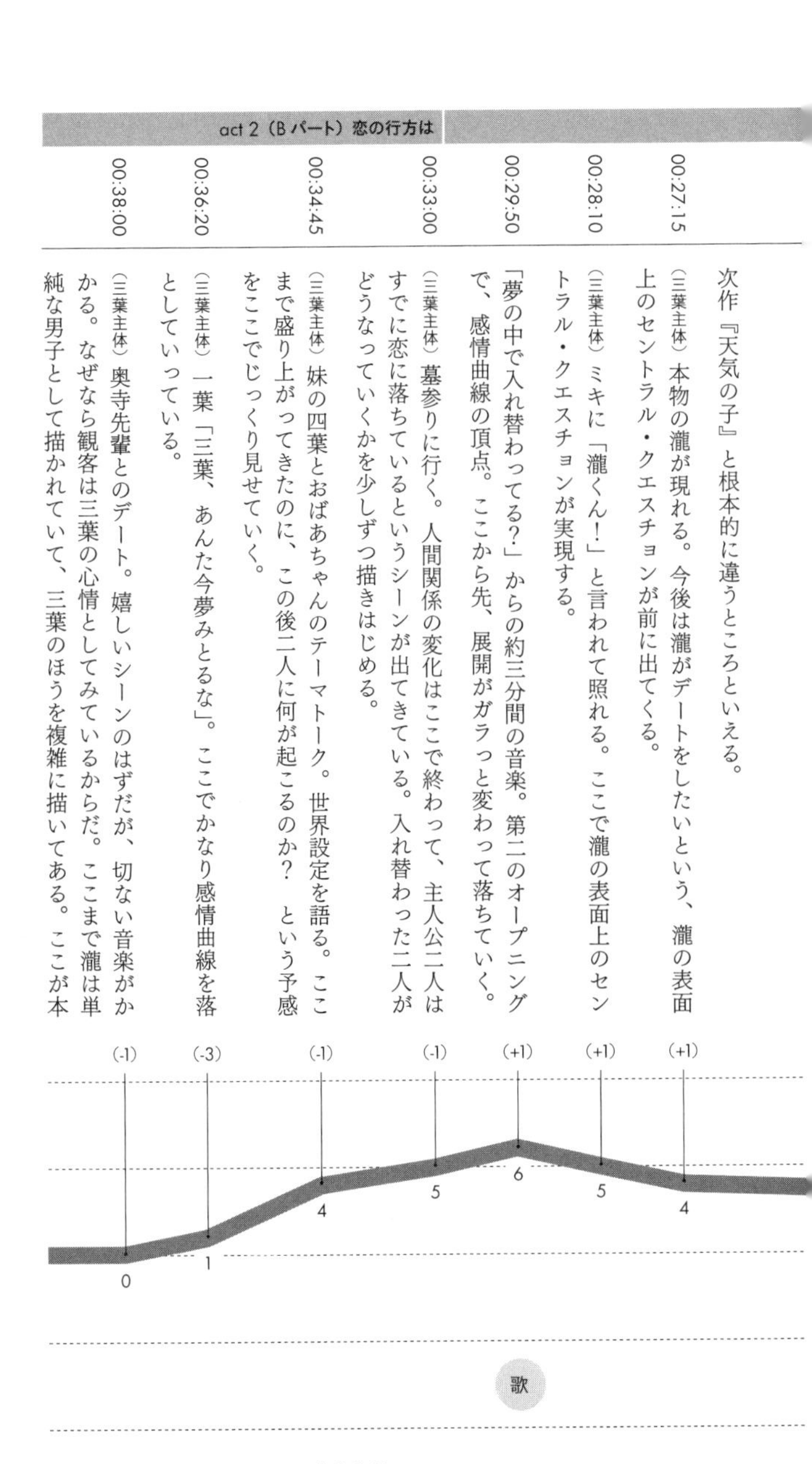

次作『天気の子』と根本的に違うところといえる。

act 2（Bパート）恋の行方は

00:27:15　（三葉主体）本物の瀧が現れる。今後は瀧がデートをしたいという、瀧の表面上のセントラル・クエスチョンが前に出てくる。　(+1)　4

00:28:10　（三葉主体）ミキに「瀧くん！」と言われて照れる。ここで瀧の表面上のセントラル・クエスチョンが実現する。　(+1)　5

00:29:50　「夢の中で入れ替わってる？」からの約三分間の音楽。第二のオープニングで、感情曲線の頂点。ここから先、展開がガラっと変わって落ちていく。　(+1)　6　歌

00:33:00　（三葉主体）墓参りに行く。人間関係の変化はここで終わって、主人公二人はすでに恋に落ちているというシーンが出てきている。入れ替わった二人がどうなっていくかを少しずつ描きはじめる。　(-1)　5

00:34:45　（三葉主体）妹の四葉とおばあちゃんのテーマトーク。世界設定を語る。ここまで盛り上がってきたのに、この後二人に何が起こるのか？　という予感をここでじっくり見せていく。　(-1)　4

00:36:20　（三葉主体）一葉「三葉、あんた今夢みとるな」。ここでかなり感情曲線を落としていっている。　(-3)　1

00:38:00　（三葉主体）奥寺先輩とのデート。嬉しいシーンのはずだが、切ない音楽がかかる。なぜなら観客は三葉の心情としてみているからだ。ここまで瀧は単純な男子として描かれていて、三葉のほうを複雑に描いてある。ここが本　(-1)　0

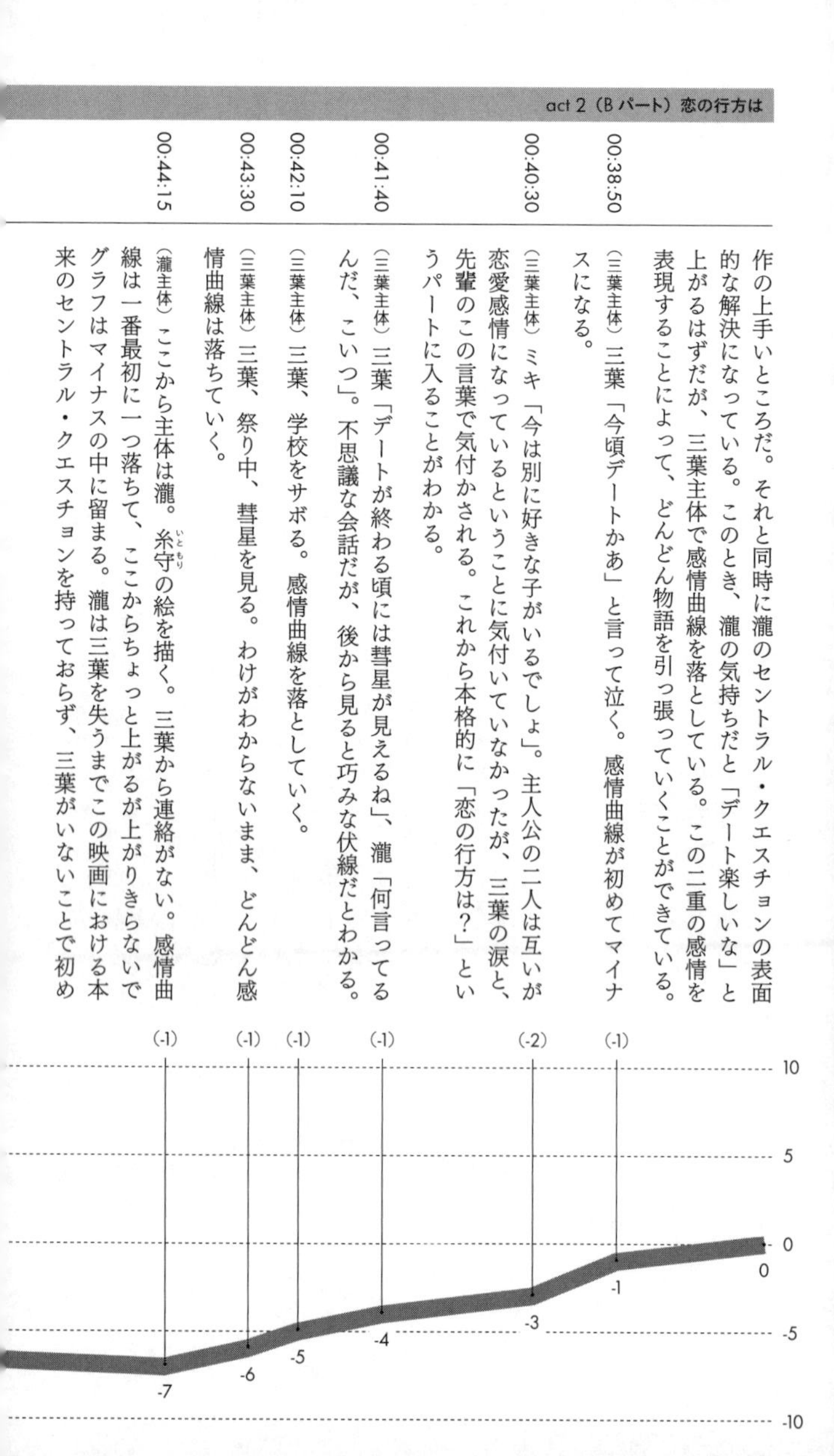

作の上手いところだ。それと同時に瀧のセントラル・クエスチョンの表面的な解決になっている。このとき、瀧の気持ちだと「デート楽しいな」と上がるはずだが、三葉主体で感情曲線を落としている。この二重の感情を表現することによって、どんどん物語を引っ張っていくことができている。

00:38:50　（三葉主体）三葉「今頃デートかあ」と言って泣く。感情曲線が初めてマイナスになる。

00:40:30　（三葉主体）ミキ「今は別に好きな子がいるでしょ」。主人公の二人は互いが恋愛感情になっているということに気付いていなかったが、三葉の涙と、先輩のこの言葉で気付かされる。これから本格的に「恋の行方は？」というパートに入ることがわかる。

00:41:40　（三葉主体）三葉「デートが終わる頃には彗星が見えるね」、瀧「何言ってるんだ、こいつ」。不思議な会話だが、後から見ると巧みな伏線だとわかる。

00:42:10　（三葉主体）三葉、学校をサボる。感情曲線を落としていく。

00:43:30　（三葉主体）三葉、祭り中、彗星を見る。わけがわからないまま、どんどん感情曲線は落ちていく。

00:44:15　（瀧主体）ここから主体は瀧。糸守（いともり）の絵を描く。三葉から連絡がない。感情曲線は一番最初に一つ落ちて、ここからちょっと上がるが上がりきらないでグラフはマイナスの中に留まる。瀧は三葉を失うまでこの映画における本来のセントラル・クエスチョンを持っておらず、三葉がいないことで初めて本来のセントラル・クエスチョンが現れてくる。ここまで三葉を主体として感情移入していた観客にとって、三葉を失うことで、観客の感情と同じセントラル・クエスチョンを瀧に持たせている。

act 2（Cパート）絶望

時間	内容	増減	感情曲線
00:46:20	（瀧主体）瀧、三葉を探しに行く。ここで感情曲線がちょっと上がっているのは、ミキという存在を上手く使って感情を上げているから。瀧の目的は「三葉に会いたい」で、初めて瀧の本来のセントラル・クエスチョンが明確になる。瀧の表面的なセントラル・クエスチョンであるミキが旅に同行することが、三葉との恋愛という本質的なセントラル・クエスチョンの価値を上げるために機能しているのではないだろうか。	(+1)	-6
00:49:45	（瀧主体）糸守に隕石が落ちていたことがわかる。どんどん感情は下がっていく。ここは設定上のミッド・ポイント。	(-1)	-7
00:51:00	（瀧主体）携帯の記録が無くなっていく。隕石事故の詳細がわかる。そして記憶も無くなっていく。	(-2)	-9
00:52:30	（瀧主体）瀧、三葉が死んでいることを知る。ここがマイナス10で、感情曲線上の底であるミッド・ポイント。	(-1)	-10
00:54:15	ミキ「瀧くんは誰かに出会って、その子が瀧くんを変えたのよ」。このセリフで感情曲線を再び上げていく。	(+1)	-9
00:55:30	（瀧主体）瀧「（お守り）ずっと前にもらって」。時間がズレている情報が少しずつ見え出す。	(+1)	-8

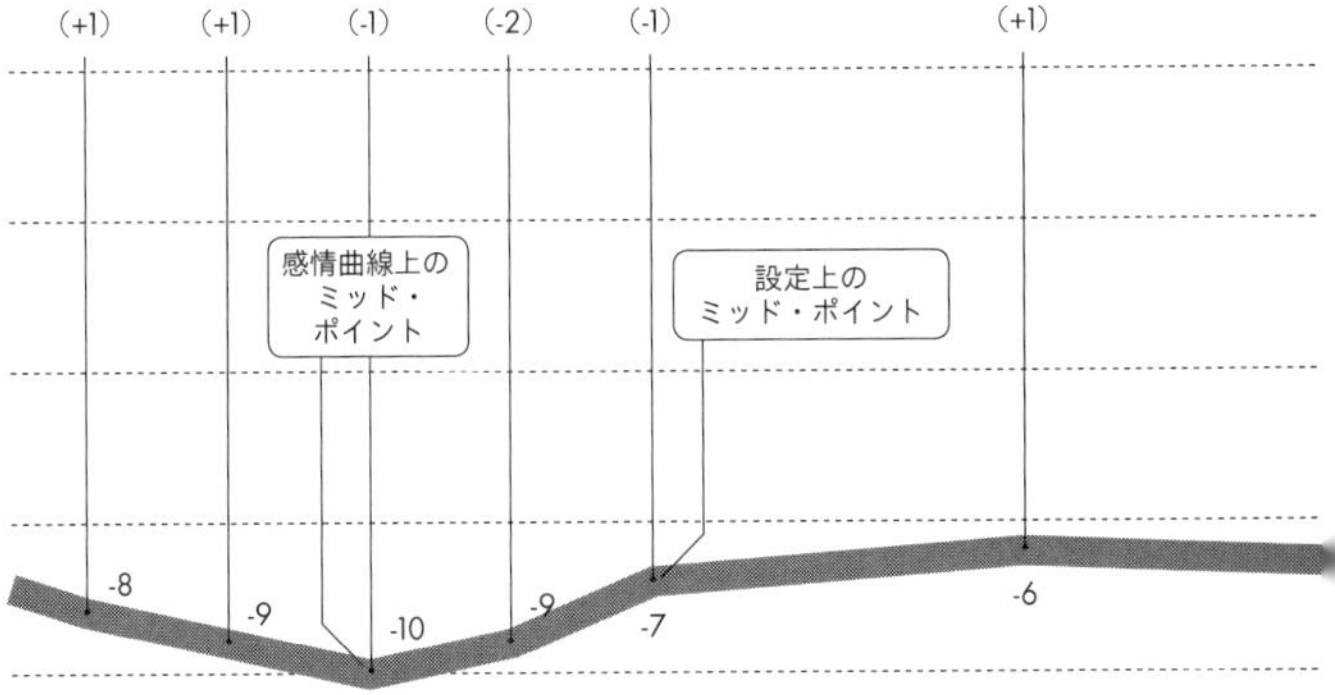

設定上のミッド・ポイント

感情曲線上のミッド・ポイント

区分	時間	内容	増減	感情曲線
act 2（Cパート）謎解き	00:57:00	（瀧主体）瀧、糸守湖に向かう。「あんたが描いた糸守、あれはよかった」。少しずつ情報が近づいていく。	(+2)	-6
	00:58:30	（瀧主体）瀧「本当にあった、夢じゃなかった」。本当にこの場所があったんだ、という確信が見えてくる。ここから謎解きという感じになり「何をしなきゃいけないのか」を探っていくことになる。	(+1)	-5
	01:00:30	（瀧主体）瀧、口噛み酒を飲む。「もう一度時間が戻るなら」。	(+1)	-4
	01:03:42	（瀧主体）瀧、三葉で生き返る。ここからどんどん感情曲線が上がりつつ、謎解きが続く。	(+1)	-3
	01:04:45	（瀧主体）今日がお祭りの日だということを知る。おばあちゃんにもこういうことがあったんだ、と言われる。	(+1)	-2
	01:06:00	（瀧主体）「宮水の夢って今日のためにあったのかもしれない」。このために夢があったんじゃないか、と気付く。謎解きのパートが終わる。つまり、この物語で何をしなきゃいけなかったのか、すべてセリフで説明している。このように『君の名は。』は、設定の複雑さをすべてセリフで説明するのでわかりやすい。	(+1)	-1
act 2（Cパート）解決	01:06:25	（瀧主体）作戦開始。買い物。ここから「解決」というパートに入る。ここで久々に音楽が入る。	(+2)	1
	01:08:45	（瀧主体）三葉の父親が信じてくれない。ここが小さなピークで、この少し前	(-1)	0

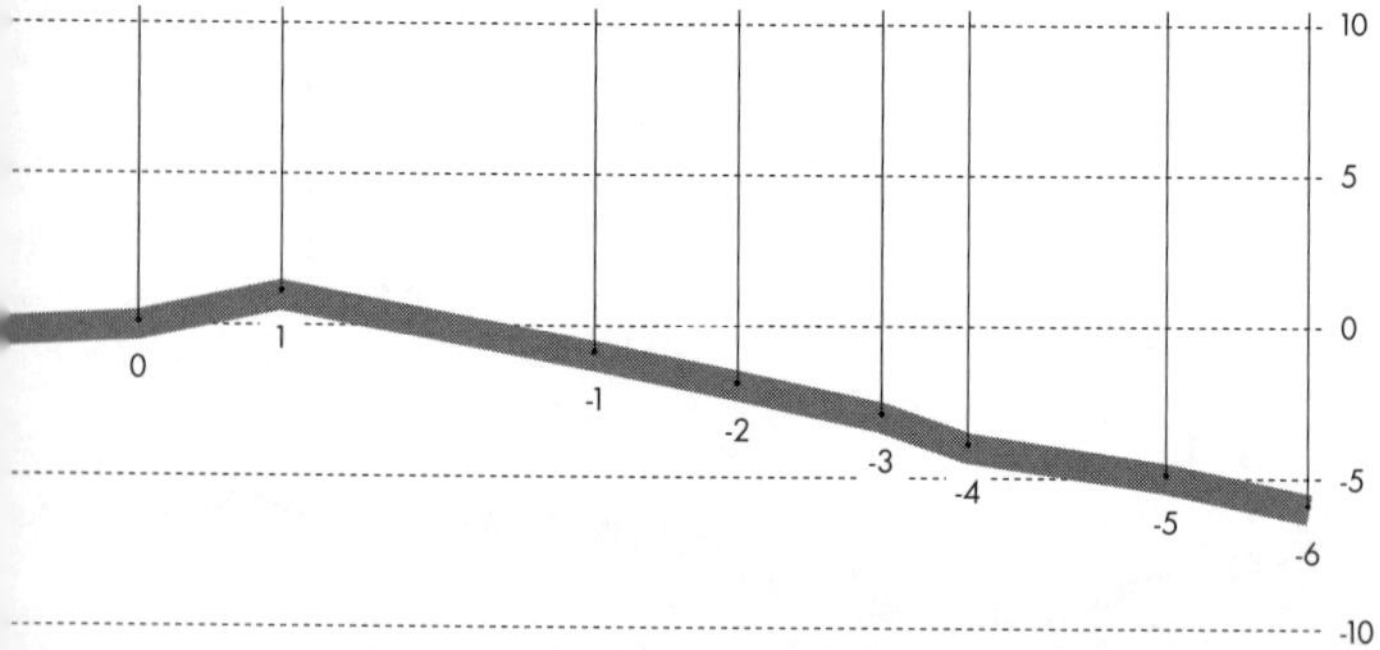

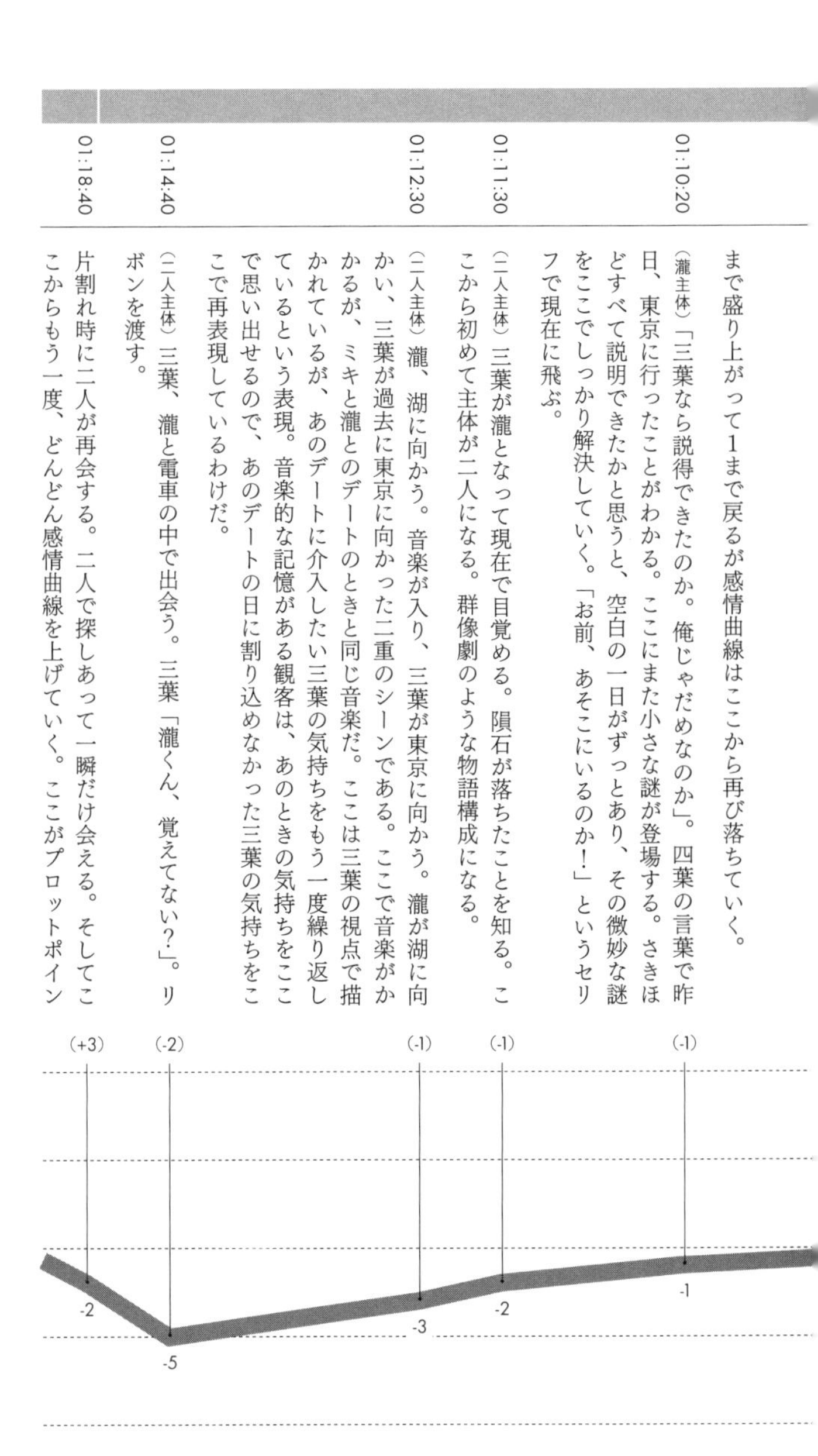

まで盛り上がって1まで戻るが感情曲線はここから再び落ちていく。

01:10:20 (瀧主体)「三葉なら説得できたのか。俺じゃだめなのか」。四葉の言葉で昨日、東京に行ったことがわかる。ここにまた小さな謎が登場する。さきほどすべて説明できたかと思うと、空白の一日がずっとあり、その微妙な謎をここでしっかり解決していく。「お前、あそこにいるのか！」というセリフで現在に飛ぶ。

01:11:30 (二人主体)三葉が瀧となって現在で目覚める。隕石が落ちたことを知る。ここから初めて主体が二人になる。群像劇のような物語構成になる。

01:12:30 (二人主体)瀧、湖に向かう。音楽が入り、三葉が東京に向かう。瀧が湖に向かい、三葉が過去に東京に向かった二重のシーンである。ここで音楽がかかるが、ミキと瀧とのデートのときと同じ音楽だ。ここは三葉の視点で描かれているが、あのデートに介入したい三葉の気持ちをもう一度繰り返しているという表現。音楽的な記憶がある観客は、あのときの気持ちをここで思い出せるので、あのデートの日に割り込めなかった三葉の気持ちをここで再表現しているわけだ。

01:14:40 (二人主体)三葉、瀧と電車の中で出会う。三葉「瀧くん、覚えてない?」。リボンを渡す。

01:18:40 片割れ時に二人が再会する。二人で探しあって一瞬だけ会える。そしてここからもう一度、どんどん感情曲線を上げていく。ここがプロットポイン

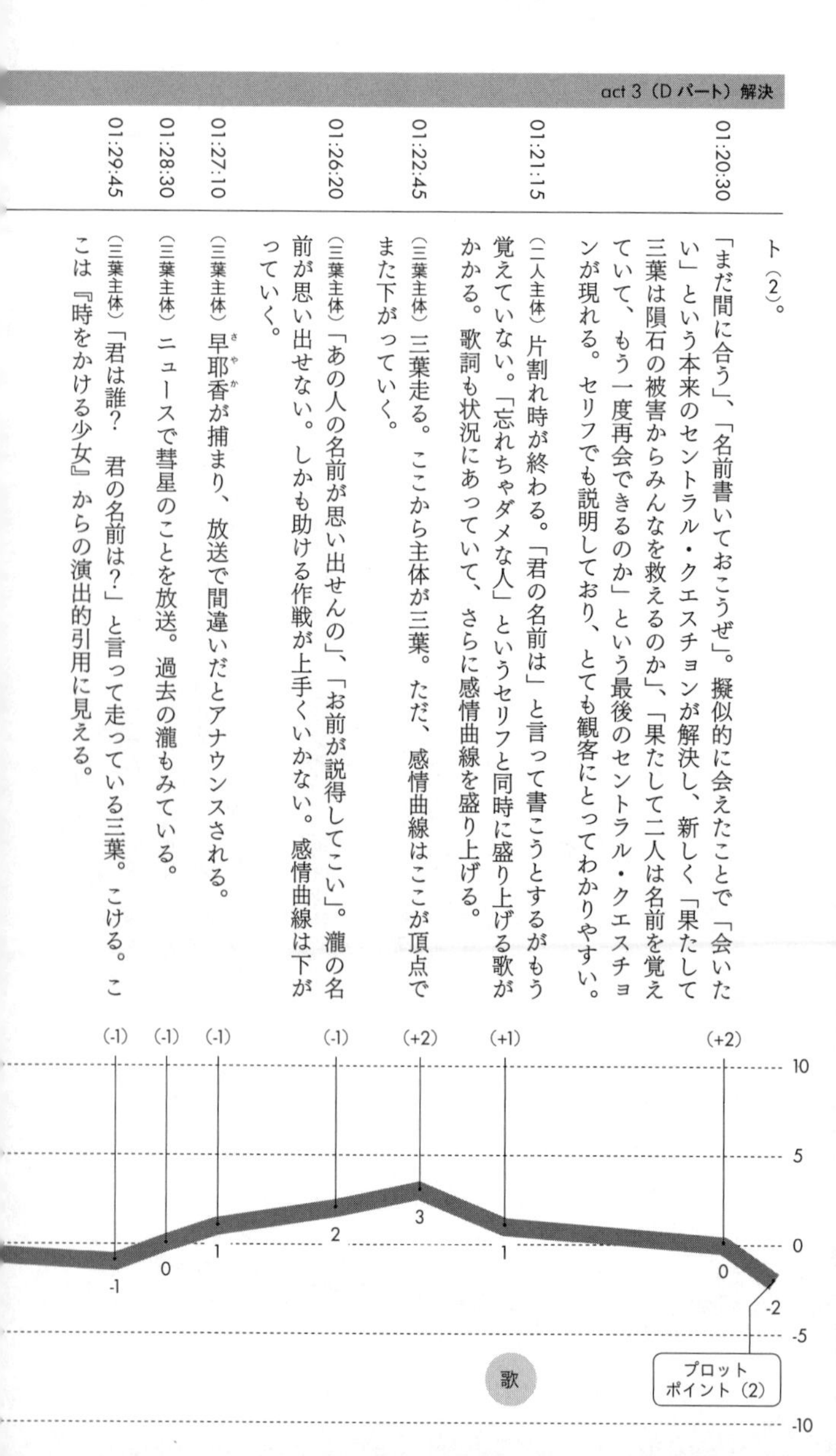

ト（2）。

act 3（Dパート）解決

時間	内容	増減	感情曲線
01:20:30	「まだ間に合う」、「名前書いておこうぜ」。擬似的に会えたことで「会いたい」という本来のセントラル・クエスチョンが解決し、新しく「果たして三葉は隕石の被害からみんなを救えるのか」、「果たして二人は名前を覚えていて、もう一度再会できるのか」という最後のセントラル・クエスチョンが現れる。セリフでも説明しており、とても観客にとってわかりやすい。	(+2)	0
01:21:15	（二人主体）片割れ時が終わる。「君の名前は」と言って書こうとするがもう覚えていない。「忘れちゃダメな人」というセリフと同時に盛り上げる歌がかかる。歌詞も状況にあっていて、さらに感情曲線を盛り上げる。	(+1)	1
01:22:45	（三葉主体）三葉走る。ここから主体が三葉。ただ、感情曲線はここが頂点でまた下がっていく。	(+2)	3
01:26:20	（三葉主体）「あの人の名前が思い出せんの」、「お前が説得してこい」。瀧の名前が思い出せない。しかも助ける作戦が上手くいかない。感情曲線は下がっていく。	(-1)	2
01:27:10	（三葉主体）早耶香（さやか）が捕まり、放送で間違いだとアナウンスされる。	(-1)	1
01:28:30	（三葉主体）ニュースで彗星のことを放送。過去の瀧もみている。	(-1)	0
01:29:45	（三葉主体）「君は誰？　君の名前は？」と言って走っている三葉。こける。ここは『時をかける少女』からの演出的引用に見える。	(-1)	-1

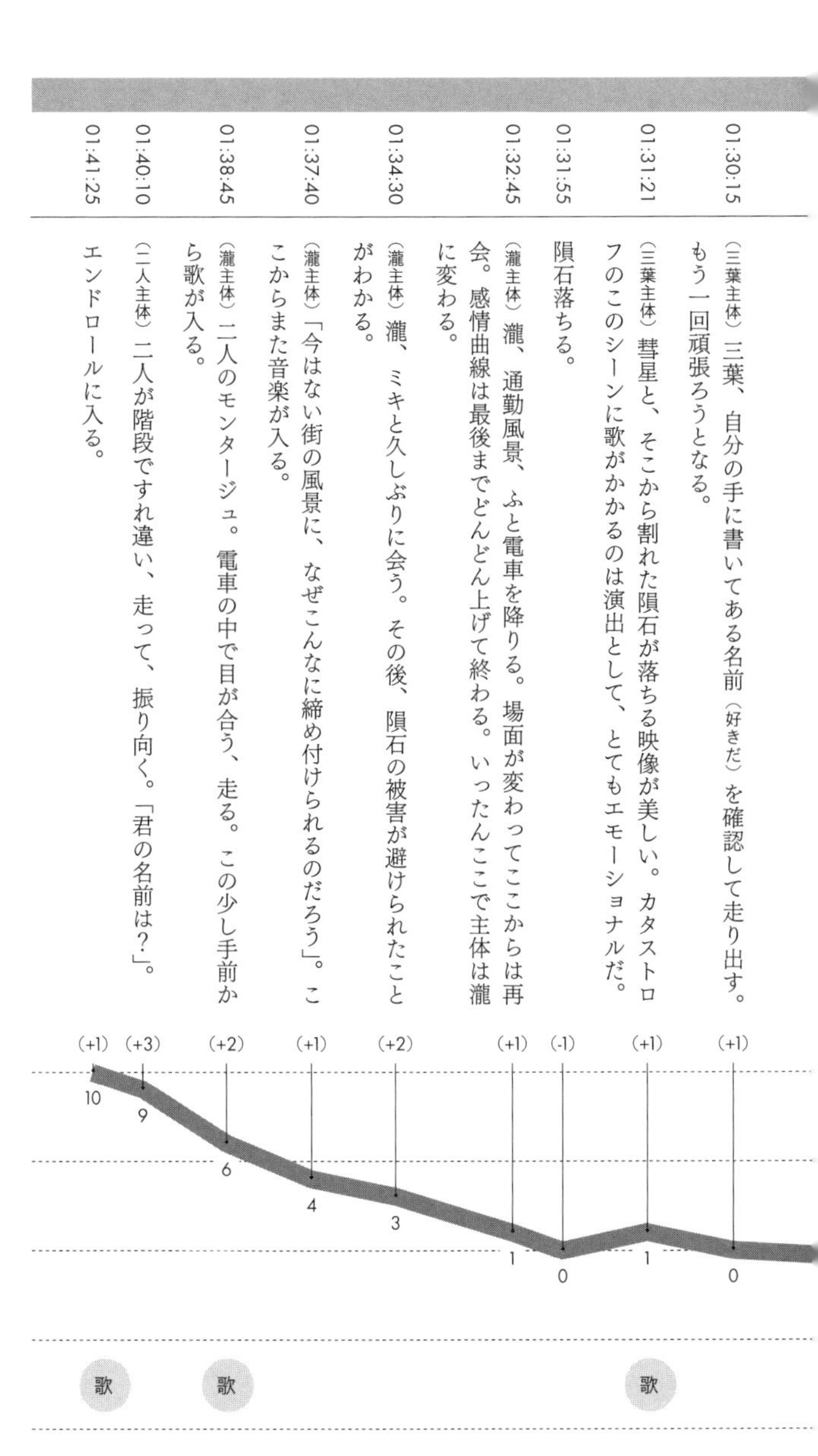

時間	内容	増減	感情値	歌
01:30:15	（三葉主体）三葉、自分の手に書いてある名前（好きだ）を確認して走り出す。もう一回頑張ろうとなる。	(+1)	0	
01:31:21	（三葉主体）彗星と、そこから割れた隕石が落ちる映像が美しい。カタストロフのこのシーンに歌がかかるのは演出として、とてもエモーショナルだ。	(+1)	1	歌
01:31:55	隕石落ちる。	(-1)	0	
01:32:45	（瀧主体）瀧、通勤風景、ふと電車を降りる。場面が変わってここからは再会。感情曲線は最後までどんどん上げて終わる。いったんここで主体は瀧に変わる。	(+1)	1	
01:34:30	（瀧主体）瀧、ミキと久しぶりに会う。その後、隕石の被害が避けられたことがわかる。	(+2)	3	
01:37:40	（瀧主体）「今はない街の風景に、なぜこんなに締め付けられるのだろう」。ここからまた音楽が入る。	(+1)	4	
01:38:45	（瀧主体）二人のモンタージュ。電車の中で目が合う、走る。この少し手前から歌が入る。	(+2)	6	歌
01:40:10	（二人主体）二人が階段ですれ違い、走って、振り向く。「君の名前は？」。	(+3)	9	
01:41:25	エンドロールに入る。	(+1)	10	歌

『君の名は。』と『アナと雪の女王』と『ローマの休日』の比較

さて、以上にみてきたように本作はダブル主人公による体の入れ替えという仕組みと、セントラル・クエスチョンの解消と立て直しを行うことによって、多層的な魅力を持っていることがわかるだろう。

この多層性は『アナと雪の女王』の構造にも似ている。この映画もアナとエルサという二人の主人公はいるが、アナは「運命の人と出会いたい」、エルサは「閉じこもった自分を解放して、本当の私になる」というのが表面的なセントラル・クエスチョンになる。ところが序盤が過ぎたころ、アナは王子を見つけるし、エルサは城を出た後に雪山で「Let It Go ～ありのままで～」の歌を唄うシーンでセントラル・クエスチョンは解消している。『君の名は。』も『アナと雪の女王』も、最初のセントラル・クエスチョンを途中で解消してしまうのが、多くの人たちを序盤から物語に引き込み、面白いと感じさせた秘訣だろう。これはクラシックな映画の物語構造とは明らかに違う。

では、クラシック映画『ローマの休日』はどうだろう。そもそもこの作品はダブル主人公なのだろうか。この映画は、オードリー・ヘプバーンが演じるアン王女と、グレゴリー・ペックが演じるジョー・ブラドリーという新聞記者のキャラクターがメインに存在する。

この映画のパブリックイメージといえば、オードリー・ヘプバーンだろうが、クレジットではグレゴリー・ペックが先に表記されているので、ジョー・ブラドリーが主人公なのだ。

また、この映画のセントラル・クエスチョンにも注目したい。アン王女は「王女はつかのまの休日を楽しむ」ということが目標なのだが、それは映画の途中で解消してしまっている。一方でジョー・ブラドリーは「大きなスクープをものにして、一山当てて借金を返す」ことがセントラル・クエスチョンだ。そして、これは映画の最後まで引っ張られていく。

なお第1章でも説明したが、セントラル・クエスチョンは単なるキャラクターの目標ではなく、セットアップで観客にその問題が問われ、クライマックスにイエスかノーかの答えを出す。ジョー・ブラドリーは最終的にアン王女を慕い「大きなスクープをものにする」という問いにノーを出すのが『ローマの休日』のエンディングだ。

このことからわかる通り、『ローマの休日』はシド・フィールドが指摘している（クラシックな）セントラル・クエスチョンの構造で作られている。それに比べると『君の名は。』と『アナと雪の女王』は表面的なセントラル・クエスチョンを途中で解消しつつ、後半に向けて本来のセントラル・クエスチョンが提示されていく。新しく刺激に満ちた面白さを提供していることがわかるだろう。

群像劇であっても主人公を設定したほうがよい

ここまでダブル主人公の作品を取りあげてきたが、こうした複数の主人公の物語を突き詰めていけば、群像劇に辿り着く。僕の考えでは、純粋な群像劇というものは高い評価を得ることはあり得ても、商業的に大ヒットするジャンルになるのは難しいと思っている。アカデミー賞作品賞を受賞した『クラッシュ』や、群像劇の名手と知られるロバート・アルトマン監督の『ザ・プレイヤー』や『ショート・カッツ』もそうだが、群像劇というのは文芸映画として評価される側面が強い。また群像劇のアドベンチャーゲームだと、僕が総監督として参加した『428 ～封鎖された渋谷で～』や、そのある種のフォロワーともいえる『十三機兵防衛圏』もユーザーやメディアから高い評価は得ることができたが、残念ながらセールスとしては大ヒットというまでには至っていない。確かに群像劇ともいえる『アベンジャーズ』シリーズは大ヒットを記録しているが、これらはメインとなるキャラクターの多くを、それまでの『アイアンマン』などの単独映画で描いているので特殊な例だろう。

群像劇は登場人物の数が多いので、どうしてもキャラクター一人に対して使える時間が少なくなり、キャラクターよりストーリーコンテンツとしての側面が前に出てきてしまう。

群像劇の弱点は、個々のキャラクターをセットアップする時間が足りないことで、ストーリーとキャラクターのバランスが崩れてしまうことだ。

僕個人の考えではあるが、キャラクターを平等に描いて全員を主人公にするような群像劇を志向するのではなく、一人か二人かを主人公的な位置づけで描いたほうがストーリーがより整理されて伝わる。たとえば『七人の侍』ならば、志村喬さんが演じる島田勘兵衛と、三船敏郎さんが演じる菊千代が代表例である。僕の『428 ～封鎖された渋谷で～』は一見して純粋な群像劇に見えるが、加納慎也と遠藤亜智という二人のキャラクターさえ追っていけば、ストーリーは大筋で理解できる構造を作っている。群像劇はただでさえ主体が目まぐるしく入れ替わるので、観客にとってストーリーの理解がしにくい。しかし主人公を絞れば、ストーリーの理解を促す仕組みを作ることができる。これは『428 ～封鎖された渋谷で～』で演出を担当し、現在『龍が如く』シリーズのシナリオを担当する古田剛志さんが常に現場で言っていた言葉だが「面白さより、わかりやすさ」という考え方だ。そしてわかりやすさは結果、面白さに繋がる。その基盤になるわかりやすさを担保するのが、何よりセットアップやセントラル・クエスチョンで明白になる主人公性なのである。

従来の群像劇から新しい群像劇へ

特にロバート・アルトマンの映画などに顕著だが、従来の群像劇というのは多くのキャラクターを描いて、最後に大地震や停電などが起こり、それをきっかけにそれぞれのキャラクターが自分を見つめ直して幕を閉じるというものが多かった。僕が『428 〜封鎖された渋谷で〜』でこだわったのは、さまざまなキャラクターのストーリーが、最終的に一つのストーリーに収束して、エンターテインメントとしての群像劇の刷新を試みようとしたことである。これ自体はTVドラマの『24 -TWENTY FOUR-』の影響が色濃いものだが、面白いことに当時のハリウッドも目指すところは同じだったようだ。『428 〜封鎖された渋谷で〜』が発売される九か月前に公開された映画『バンテージ・ポイント』は、群像劇にクリフハンガーを導入しており、偶然にも僕の作品とタッチが似ている。もしもこの作品を『428 〜封鎖された渋谷で〜』の開発前や開発初期に観ていたら、おそらく影響を大きく受けていただろう。

『バンテージ・ポイント』が優れている点は、アメリカ大統領が演説中に狙撃で暗殺され、パニックになる現場をさまざまな視点・時間軸から描いていることにある。つまりある種の、パニック・シチュエーションものなのだ。この映画に学べるのは、まさに冒頭から緊張感があるシチュエーションが導入されていることにある。群像劇の序盤はキャラクターのセットアップに時間を要するため、退屈になりがちだ。『バンテージ・ポイント』はそれをシチュエーションの緊張感で相殺している。

パズルのようなストーリー『運命じゃない人』と『カメラを止めるな!』

群像劇の名手として僕の大好きな映画監督がいる。それが内田(うちだ)けんじ監督だ。『運命じゃない人』、『アフタースクール』、『鍵泥棒のメソッド』などが代表作で、いずれの作品もキネマ旬報や日本アカデミー賞で脚本賞、最優秀脚本賞などに選ばれている。特に僕は長編デビュー作の群像劇『運命じゃない人』をもっとも高く評価している。序盤は何気ない日常シーンが描かれるのだが、それらはすべて伏線であり、そこからさまざまな登場人物の視点、時系列の入れ替えを通すと、ストーリーはパズルのように組み上がり、最終的にはまったく違う光景を見せてくる。これまで『パルプ・フィクション』のような群像劇で時系列を入れ替えるものはあったが、映画の印象自体が変わってしまう『運命じゃない人』に僕は衝撃を受けた。

ただ内田けんじ監督作品は、セットアップや伏線を丹念に作っている弊害で、どうしても序盤が退屈になっている。この内田けんじ監督的なギミックを使いつつ、序盤の退屈さを逆手に取ったのが上田慎一郎監督の『カメラを止めるな！』だと僕は感じた。この作品も伏線だらけの映画なのだが、それを一カットによる長回しとゾンビ映画というシチュエーションを導入することで、序盤の退屈さを意味のある退屈さとして演出している。『バンテージ・ポイント』とは異なるアプローチだが工夫がみられる。

宮崎駿の天才性について

ここまで論理的に面白さを引き出す脚本術を説いてきた。主人公性がいかに大切か、主人公の存在を観客に理解させることこそが、ストーリーの面白さに繋がることをわかっていただけただろうか。とはいえ読者の方には、エンターテインメント作品で、展開が理解できないのになぜか面白いと感じたことも思い当たるのではないだろうか。

たとえば宮崎駿監督の映画だ。僕は『ルパン三世 カリオストロの城』は極めて脚本の構成術において優れた作品だと思っているが、『風の谷のナウシカ』以降の作品は必ずしもそうだとは考えていない。『天空の城ラピュタ』を三幕構成を意識しながら観てみると、ほとんど四幕構成といえるような構造が浮かび上がるはずだ。『千と千尋の神隠し』、『ハウルの動く城』、『崖の上のポニョ』、こういった作品は果たしてストーリーの理解がしやすかっただろうか。だがしかし理解できなかったが面白かったと感じた人も多いはずだ。

実は宮崎駿監督の映画を観ると寝てしまうという告白をする友人は多い。僕も映画館でふっと夢の中にいるように脳が退屈に陥ることがある。しかし宮崎駿作品は魅力的で必ず新作には劇場に足を運ぶ。

こうした作品は、物語の論理的な繋がりよりもシーンのエモーショナルで感動させており、ある意味で、演出で脳をハックしている。これは僕の想像でしかないが、宮崎駿監督は『ルパン三世 カリオストロの城』で極めて高い水準の脚本を完成することができた。そして次のステップとしてもっとアニメ固有に根ざした、脚本を超えたレベルでの表現に挑戦していったのだと思う。ある意味、自分が作ったモノに飽きてしまったのかもしれない。

わからないけど、すごかったというのも一つの体験だし、そういう作品を作れるのは天才である証拠だ。だが、わからないというのは再現性がない、ノウハウ化できないということと同じである。これは凡人の理論なのかもしれないが、本書では再現性のあるストーリーにこだわりたい。作品を見た後で、なぜその感動が生まれているのか、ストーリーを理解して、他の人に説明できるのが、僕はそのストーリーのクオリティが高い証拠だと考えているし、いずれは第4章で説明するようにＡＩ時代のストーリーテリングに繋がると信じているからだ。

ビデオゲームの主人公性

最後に、ビデオゲームの主人公とは何かを考えてみよう。映画、小説、舞台などは基本的に受動的なメディアだが、受け手側が強く介入できる能動的なメディアであるビデオゲームの主人公は、これらと大きく異なっている。ビデオゲームの主人公とはこれらのメディアとは別のものだと捉える必要がある。

実はここまでに述べた主人公性に関わるノウハウは、これまでビデオゲームのクリエイティブでは軽んじられてきた。なぜなら、ゲームはプレイヤーが主人公を操作しているので、すでにそれだけで主人公性が担保されているからだ。わかりやすくいうと、コントローラーを動かして動いたモノが主人公だからだ。

映画や小説でストーリーを支配する神は作り手のただ一人だ。だがビデオゲームでは、作り手という神に加えて、プレイヤーという神がいる。この二人の神の存在の綱引きによってドリブンしていくのがゲームのストーリーなのである。このように考えると、ビデオゲームは主人公に加えて、プレイヤーに対しての三幕構成や感情曲線にあたるものが厳密には必要なのかもしれない。だが原則的には主人公とプレイヤーは乖離(かいり)せずにストーリーは設計されるものだ。もちろん主人公とプレイヤーの関係を一体化させずに分離した上でコントロールさせるメタフィクション作品もある。ただこれは特殊な例であり、重要となるのは、やはりプレイヤーと主人公の一体化であることに間違いはない。

ビデオゲームの主人公におけるセットアップとは

ビデオゲームの場合、主人公はプレイヤーが操作するものだから、映画の考え方をそのままは適用できない。映画だと、たとえば目の前のアパートが火事になったとしても、危険を冒してでも助けにいく主人公としてセットアップしておかないとその行動に納得性が生まれない。キャラクターの性格と行動が一致せず、観客にとっては感情移入できない捉えがたい主人公に見えてしまうだろう。

またそうしたセットアップをした上で、自己犠牲をものともせず助けにいくからこそ主人公性がより担保されるのだ。ところがビデオゲームの場合、行動はプレイヤーが規定しているため、助けるのか助けないのかはプレイヤー次第となる。そのためにまずシチュエーションを用意しておく必要がある。「危険を冒してでも助けにいきたくなる」という、プレイヤーに対する動機づけが必要なのだ。プレイヤーが自分の実生活では普段やらないことを能動的にやらせるための動機を提示していくのがゲームシナリオに求められている。これはストーリーだけでなくゲームデザインでも可能だ。こうしてプレイヤーが火事をものともせず助ける行為をすると、今度はその動かしていたキャラクターに主人公性が生まれてくるのだ。

セットアップによって納得できる行動をするのが映画の主人公だ。それに対して行動して納得させられる、つまりプレイヤーの行動によって、セットアップが後から働くのがゲームの主人公だということを理解しなければならない。整理すると、映画の場合は「セットアップ⇓行動⇓主人公性の獲得」、ビデオゲームの場合は「操作できることによる主人公性⇓行動すべき状況⇓プレイヤー（とキャラクター）の能動的な行動⇓キャラクターやストーリーとしての主人公性の獲得⇓セットアップ」という順番になる。

『ドラゴンクエスト』と『ファイナルファンタジー』の主人公性

主人公といえば、『ドラゴンクエスト』シリーズの主人公がしゃべらない主人公型と、『フアイナルファンタジー』シリーズの主人公が自らの意思でセリフをしゃべる主人公型がある。この両者はまったく作法が違うように思えるが、セットアップの順番においては大きな差異はなく、プレイヤーの能動的な行動⇒セットアップという順番は同一である。違いがあるとすれば、『ファイナルファンタジー』シリーズの主人公型は、よりこのセットアップを丁寧にやらないといけない点だろう。そうしないとプレイヤーは、キャラクターとの不一致を感じてしまう。だが、セットアップさえ上手くやれば、その段階においてはすでに主人公性を獲得できているので、主人公が勝手にしゃべりだしても違和感を覚えることはない。

基本的にこれらの点を注意しなければいけないのはゲームがはじまったばかりの段階の話である。主人公性をプレイヤーに納得させることさえできれば、『ドラゴンクエスト』型であろうが、『ファイナルファンタジー』型だろうが、たとえばカットシーンなどで、プレイヤーの手を離れて主人公が勝手に動いたとしても、違和感を覚えることはないはずだ。もちろんこれらの話は、ＲＰＧに限らずアドベンチャーゲーム、アクション・アドベンチャーゲームなどにも同様のことがいえる。

ビデオゲームの根本的なセントラル・クエスチョン

ビデオゲームは『君の名は。』のようにセントラル・クエスチョンの変化は少し難しい。表面的にはどんどん目標を更新しているが、根本的にはキャラクターが生き残ることそのものが、セントラル・クエスチョンになっているからだ。これは逆にいえば、プレイヤーにとって生かそうと思える主人公でないといけないことになる。「こいつ死んだほうがいいんじゃないか」と思うような主人公をプレイさせると、主人公を生かそうとするプレイヤーの基本的な要求と乖離してくる。たとえば、ダブル主人公もので主人公と対立している敵すらも主人公にしているゲームがたまにある。こういったゲームがプレイヤーの感情移入であまり上手くいった例がないのは、こうしたゲーム特有のセントラル・クエスチョンの機能と矛盾(むじゅん)するからだ。

ただ、第1章で『アイアンマン』を分析してきたように、本来であれば共感できない主人公に感情移入させるのが映画の王道だ。難しい切り口であってもセットアップさえしっかりできれば、感情移入させることができるはずだ。僕は優れたドラマのポイントは、共感できない人間にどう感情移入をさせるかだと考えている。たとえば『STEINS;GATE』の主人公は変人だ。あの個性的な主人公に対してどのように感情移入させるのか、ゲームでは丁寧に時間をかけてセットアップをやっている。最初は「何なの?」と思っていた主人公が徐々にプレイヤーの感情とリンクしていく。そこが成功したからこそ、たくさんの人の中で記憶に残った作品になったといえるだろう。

『ドラゴンクエスト』型のしゃべらない共感型の主人公と比べると、『ファイナルファンタジー』型は感情移入のテクニックが必須だ。たとえば『スター・ウォーズ』だとルーク・スカイウォーカーは共感型、アナキン・スカイウォーカーは感情移入型といえるだろう。ルーク・スカイウォーカーにはみんなが熱狂したが、新三部作のアナキン・スカイウォーカーはちょっと不思議な性格の主人公に感じてしまったように思う。本来はもっと丁寧に感情移入をさせたかったのではないだろうか。ビデオゲームでは操作できる主人公性という前提があるため、セットアップがおざなりになってしまうことがある。そのためにもビデオゲームにおけるセットアップの仕組みを理解して、ストーリーという側面からも、ゲームデザインという側面からも、キャラクターの主人公性をプレイヤーに促さなければいけない。

葛藤ができる選択肢

ではビデオゲームの主人公性を促す、能動的に行動したくなる状況とはどういうものだろう。一つに、それ自体が大なり小なりの葛藤を含んだものがそうだといえる。たとえば火事の場面で「ヒロインを助けるのか」、「ヒロインを助けないのか」という選択肢があるとする。実はこの図式だと単純すぎて葛藤は生まれない。助けることが自明的すぎて、逆に「助けないとどうなるんだ？」という邪念がプレイヤー側に生まれかねない。

では、「ヒロイン」か「子供」のどちらかしか助けられないとしたらどうだろう。ここでのプレイヤーの心理としては「ヒロインを助けたら、子供はどうなるんだ？ その逆なら？」という葛藤が生まれる。これはプレイヤーにとって、行動することが前提の迷いである。こうすることによって、行動を能動的に導くことができる。こういった選択でもっとも有名なのが『ドラゴンクエストV　天空の花嫁』のビアンカとフローラだ。幼馴染とお嬢様どちらかのキャラクターと結婚するかという選択肢は、今でも語り草になっている。

また「ヒロインを助けるのか、助けないのか」というパターンであっても、葛藤に導く簡単なテクニックがある。それは時間制限があることをプレイヤーに明示しておくことだ。そうすると「ヒロインを助けるか、助けないのか」という心理が、「ヒロインを助けられるか、助けられないのか」と変化する。こうすることによって行動や選択肢に葛藤を内包させて、能動的な行動を促すことができる。そして、それはキャラクターの主人公性の獲得に繋がっていくのだ。

あらゆる選択肢を認めた『HEAVY RAIN 心の軋むとき』

これまで僕は、火事の中を助けにいくことをまるで正解の選択肢かのように表現してきた。だが、ゲームシステムにおいて、あらゆる選択肢を並列に設置する場合もある。火事の中を助けにいってもいいし、その場で見守っていてもいいし、その場から立ち去ってもいい。この場合、あらゆる選択は結果的にプレイヤーの能動性に結びつく。

これを実現したのがフランスの会社、クアンティック・ドリームが開発した二〇〇五年の『HEAVY RAIN 心の軋むとき』というゲームだ。世界中で三〇〇万本以上のヒットを記録し、日本ゲーム大賞では有志のゲームクリエイターが独創性の高い作品を選ぶゲームデザイナーズ大賞（僕も第一回から審査員として参加している）を受賞している。

このゲームで印象的だったのは、子供を誘拐された父親が、犯人から小指を切れと脅されるシーンだ。血止めをして、痛むのが怖いから酒を飲み、さまざまな段取りをした上で小指を切ろうとするのだ。最初に犯人から示される通り、時間制限があり、僕は指を切りたくなかったので、ずっと酒を飲んでいると、うっかり時間制限がきてしまい、主人公は指を切ることをやめてしまった。だが、このゲームデザインの素晴らしいところは、ゲームをその場で放置することも含めて、あらゆる選択肢を内包していたことだ。指を切ってもいいし、切らなくてもいい。そして迷い続けてもストーリーは進む。指を切ったら勇敢な父親、切らなかったら情けない父親だ。僕はこういった自由度を担保した点で、この作品をとても評価している。

ストーリーの方向性としては、指を切ることを推奨しているわけだが、積極的に指を切ろうとしないプレイヤーの心理状態も考える必要がある。もちろん、そのゲームシステムがどこまでプレイヤーの裁量権、選択肢を認めてくれるのか、そのシステム自体をプレイヤーが試そうとしてくる視点はあるだろう。だが、そういったメタな視点を抜きに考えれば、火事の中を助けにいくこと、指を切ることをプレイヤーが不自然な展開だと感じているのではないだろうか。プレイヤーは助けにいかない物語を選ぼうとしているわけだ。開発者がそういった選択をして欲しくない場合、それはそこまでのシチュエーションやセットアップを再検討する必要がある。当たり前だが、まずはプレイヤーの心理に立つ必要があるわけだ。

ビデオゲームにおける15のビートを考える

最後に15のビートをビデオゲームのストーリーにおいて使えるのかどうかを確認しておこう。

1：オープニング・イメージ
2：テーマの提示
3：セットアップ
4：きっかけ
5：悩みのとき
6：第一ターニング・ポイント
7：サブプロット
8：お楽しみ
9：ミッド・ポイント
10：迫り来る悪い奴ら
11：すべてを失って
12：心の暗闇
13：第二ターニング・ポイント
14：フィナーレ
15：ファイナル・イメージ

結論からいえば、15のビートとは九〇分から一二〇分までの映画のフォーマットなので、そのままでは使えるわけではない。ビデオゲームはシステムによって、さまざまなストーリーテリングがあるので、全体として統一できるビートを作れるわけではない。

だが、おさえるべきポイントはある。ここまでみてきたようにストーリーを描こうとするビデオゲームならば、セットアップは必須である。最初の「オープニング・イメージ」、「テーマの提示」、「セットアップ」、「きっかけ」、「悩みのとき」、ここまではゲームでも十分に使えるわけだ。

ただし、ここからが違う。「悩みのとき」で主人公が出立した後、ビデオゲームは「サブプロット」、「お楽しみ」を挟むべきだろう。基本的にビデオゲームはプレイ時間が長く、サブプロットの集積である。たとえばRPGやアクション・アドベンチャーは映画に譬えると、『スター・ウォーズ』、『ロード・オブ・ザ・リング』、『隠し砦の三悪人』などの大枠でのロードムービー形式といえる。主人公が旅をすることによって移動しながらさまざまな人と出会っていく。アドベンチャーゲームはある程度、場所が固定されている『ポセイドン・アドベンチャー』、『シン・ゴジラ』、『ターミナル』などの大枠でのグランドホテル形式といえる。馴染みの人、新しい人がある場所に出たり入ったりして出会いを繰り返していく。

基本的にRPGもアドベンチャーゲームも、そういった人たちとのサブプロットが集積している構造だ。だからそれらのエピソードごとにサブキャラクターをセットアップしつつ、短いスパンで15のビートを描くのがいいだろう。

ビートの順番を入れ替えることを心がける

なおビデオゲームでは、「ミッド・ポイント」は忘れてもらっても構わない。映画と違ってプレイ時間が長いビデオゲームは、中間に位置する物語の転換点は設定しにくいためだ。

15のビートを分解してみると、序盤にある「きっかけ」、「悩みのとき」、「第一ターニング・ポイント」と、終盤にある「迫り来る悪い奴ら」、「すべてを失って」、「心の暗闇」、「第二ターニング・ポイント」はどん底に陥った主人公が再起を図るという効能は共通している。これらの構造をどういうったタイミングで入れるのか、またその後にサブプロットを入れるのかというのを、ボリュームごとに意識しながら、「フィナーレ」、「ファイナル・イメージ」まで持っていけばいいだろう。主人公がどん底の状態のまま、再起せずにサブプロットをしばらく描くというのも、一つのテクニックだ。

気をつけたいビデオゲームのエンディング

ＲＰＧの場合、「サブプロット」がいつでも読めるような自由度を担保しないと、プレイヤーは抵抗を感じるはずだ。たとえばラスボスまでいったら引き返せないというゲームがたまにあるが、それはあまり好ましい流れとはいえない。「フィナーレ」の直前に「サブプロット」を入れておくのが王道だろう。

ラスボスを倒して、いったんエンディングを迎えた後はどうすべきだろう。ラスボスを倒した後の時間軸で「サブプロット」を体験できることを描くべきなのか、それとも倒される前の時間軸に戻って「サブプロット」を体験させるべきなのか。

僕としては、この二択ならば後者であるラスボスが倒される前の時間軸に戻っていることを推奨する。というのもエンディング後に「ラスボスと戦う」というセントラル・クエスチョンが抜けてしまうと、気の抜けた炭酸飲料のような状態でサブプロットを消化していくことになるからだ。たとえばサブプロットをすべて体験した後にラスボスを倒すとエンディングが変わっているとか、より強力なラスボスと戦うことができるとか、ゲーム的な仕組みが必要だろう。いずれにしても、セントラル・クエスチョンをつねに保持しておくことは、ストーリー体験のメリハリにおいて重要だと僕は考えている。

第3章

謎がストーリーを駆動させる

ミステリーとミステリーゲーム

セントラル・クエスチョンはミステリーである

ここまで第1章、第2章で三幕構成における主人公のセントラル・クエスチョンの重要性を説いてきた。しかしこのセントラル・クエスチョンは、まさに主人公の目的が達成されるのか否かという一種のミステリーであると考えたほうが、より駆動力があるストーリーが作れると僕は個人的に考えている。またこれは逆にいうと、ミステリーにおける謎とはシド・フィールドが説くセントラル・クエスチョンのことだと考えることもできる。

ミステリー的な構文を考えてみよう。たとえば「小学六年生のA君は、六段の跳び箱を跳べるのか」といったとき、これは読者への問いにはなっているのだが、ミステリーとして捉えることは難しい。

これをミステリー的な構文に直すと、「なぜA君は六段の跳び箱を跳ぶことができないのか」だったり、「六段の跳び箱を跳ぶ方法をA君は持っているのか」という風になる。こうした細かい謎の作りによって一気にミステリーに近くなっていく。そこから「跳び箱を跳べないトラウマとは」、「どのようなハンデがあるのか」、「たった一つだけそれを突破できる答えが見つかった」と、膨らましていく。

一番やってはいけないのが、謎を提示しておいて誰も犯人じゃない、真相は藪の中だという展開だ。解答があるのではなく、すべての可能性があるという解釈が提示されるだけという話は、文学としてはOKだが、ミステリーにおいて一番肩透かしの展開といえる。

二つの矛盾するものを提示するのも有効である。「この密室で殺人をすることはできないはずだ！　なぜならこれは自殺でしかあり得ない。しかしこの殺し方は他殺でしかあり得ない」、こういう小さなサイズで謎のサイクルが作られている構文をストーリー上にちりばめていくことによって物語の原動力にしていく。ある出来事に対する原因への問いかけ、それに関わる矛盾、そういったことを提示しつつ小さな解決を繰り返すことによって、予想や推理を読者に促すことができるのである。

エンターテインメントを進化させたミステリー

ミステリーとは、これまでの脚本術と同じように論理的なストーリーの産物である。確かにミステリーは、殺人や暴力といった露悪性を扱うことがあるので、そこに感情が揺さぶられるというエモーショナルな部分はある。だが、それを抜きにして考えると、読者に思考を促したり、謎を解かなければいけない局面において、極めて論理的なものである。

こういった謎解きに至れるのも、読者や観客がそれまでのストーリーを理解している前提があるからだ。

現在のエンターテインメントを分解していくと、ミステリー要素というのはほぼ必須になっているのではないだろうか。ミステリー小説が誕生するまでのエンターテインメント小説の王道は、『宝島』などの冒険小説、『フランケンシュタイン』のようなゴシック小説だったと思う。それが一九世紀中頃にエドガー・アラン・ポーの『モルグ街の殺人』という嚆矢(こうし)があり、一九世紀末にアーサー・コナン・ドイルが「シャーロック・ホームズ」シリーズを書いたことで、ミステリー小説は二〇世紀を代表するエンターテインメントになった。

ミステリー小説を読んだ読者は思わず「なぜこんなことが起こったんだ?」、「次はどうなるんだ?」と固唾を呑む。この心理作用こそが、ミステリー小説が発明したノウハウだ。つまりストーリー上に細かい謎を配置することによって、読者の興味をどんどん次に繋いでいく。現在の優れたストーリーは、この「なぜ?」というのを提示し続けている。ひとつの謎を解消することによって、次のステップに進み、また新しい謎を提示して、次のステップに行く。それまでの冒険小説やゴシック小説はそのような緻密な構造としては作られていなかった。ミステリー小説は、その当時のエンターテインメントのストーリーを進化させたといっても過言ではないだろう。ある意味で、三幕構成的に物語を捉える発想の源流がそこにあるわけだ。

この章では僕なりの応用編として、ミステリーを掘り下げていきたい。セントラル・クエスチョンをミステリーの謎として捉えることは、あらゆるジャンルにミステリー要素が内包されているということと同義だ。どれだけ観客に謎に興味を抱かせるのか、そうしたミステリー要素を意識することが、現在のシナリオに求められている。そうした整理の先には、ミステリー小説とゲームの主人公とプレイヤーの二重性という共通点が見えてくるだろう。後半からは、新しく登場したミステリーゲームや、実践的な例として僕自身が関わったミステリーゲームを分析してみたい。

読者のミステリーに対する欲求は二種類

そもそも読者はミステリーに何を期待しているのか。まず一つは謎に対する答えが知りたいからストーリーを観賞するタイプだ。これは予想外の答えであればあるほどいい。最終的に提示される答えに驚きたいので、もし逆に自分が予想していた犯人が的中してしまうとがっかりしてしまう。

もう一つは自分で謎を解きたいという欲求。これはミステリーというストーリーを通して、推理したい、論理的なストーリーのパズルをしたいという欲求だ。これは自分が予想していた犯人と正解が合致していると、とても嬉しい。そこに驚きという心理はない。

そう、このようにミステリーを整理していくと、「謎に対して驚きたい欲求」、「自分で謎を解きたい欲求」という二種類の正反対の本質があぶりだされてくる。ミステリー作品を作るとき、自分たちが志向しているミステリーはどちらなのか? このことをしっかりと自覚しておく必要がある。物語を駆動させるためのミステリーと、ミステリーのためのミステリーの違いともいえるだろう。それによってミステリーの作法が変わってくるのだ。

本格ミステリの誕生

「謎に対して驚きたい欲求」、「自分で謎を解きたい欲求」、なぜこのように二つの方向性が違うミステリーがあるのだろうか。探偵小説というジャンルを創始したエドガー・アラン・ポーの『モルグ街の殺人』とコナン・ドイルの「シャーロック・ホームズ」シリーズは、どちらかというとキャラクター小説としての側面が強い。極めて頭は良いが変わりものである探偵の発想や言動に、読者は助手であるワトソンという共感型のキャラクターの視点を介して推理を目撃している構造がある。「シャーロック・ホームズ」の場合、事件を解決する決定的な証拠が出てきたら「そんなことも気付かなかったのかい、ワトソン君」と言われてしまうが、読み直したらそういった証拠は相当はぐらかされていたり、書かれていなかったりする。つまり読者は探偵の立場から謎を厳密に推理できる余地はないわけだ。

ヒーロー映画を見たら、自分自身もヒーローになってみたくなるように、こうした探偵小説の誕生によって、読者の中に探偵に対するあこがれが生まれてくる。そして一部の人たちはワトソンではなく、自分もシャーロック・ホームズの立場になって、謎を解きたいというニーズが発生してくる。現在のビデオゲームのようにインタラクティブのようなものではないが、読者参加型の仕組みを入れたミステリー小説が生まれてくるわけだ。これが本格ミステリと呼ばれるジャンルである。この小説家でもっとも成功を収めたのがアガサ・クリスティだが、読者参加型の方向性を体現しているのはエラリー・クイーンだろう。その処女作『ローマ帽子の謎』は、探偵役が謎解きをはじめるパートの前に、読者への挑戦状として「謎を解くことができるか」と読者に推理を促すページが存在している。

この時点で主人公は小説の探偵役だけではなく、読者側にも移っている。「あなたも主人公である」、この視点はもはやビデオゲームの発想にすら近い。読者自身が主人公性を獲得したとき、新たなる概念が付随して生まれてくる。それは読者にとって提示されている情報はフェアなのか、アンフェアなのかという問題だ。推理するのに必要な情報が欠けていたら、犯人を当てることができない、それは読者にとって不公平だからである。このフェア／アンフェアという概念は、一説には第一次世界大戦から若者たちが帰国したときのスポーツブームの影響があったという。確かにフェア／アンフェアという概念は、本来はスポーツマンシップで用いられてきたものだ。

こうした本格ミステリは、ストーリーが伝えてくれるものをそのまま理解するから感動しているわけではなく、伝えられたものを自分で再構築して理解するから面白いのだ。これは従来の物語消費とは違うもので、別の価値観が明らかに派生しているといえる。

「なぜ殺したのか」が重要なミステリー

では、まずは「謎に対して驚きたいミステリー」を分析してみよう。僕はこれは本質的にはキャラクターコンテンツだと思っている。ユニークな探偵の言動はもちろんだが、犯人の動機は何なのかという方向性が求められる。結果的には、三幕構成などの感情移入のテクニックを用いた人間ドラマが志向されていく。もちろんトリックやギミックなどが披露されるのだが、これは演出という意味合いが強く、その価値はキャラクターやストーリーほどには重要度は高くない。

たとえば感情移入は重要視していないがドンデン返しでびっくりさせる映画は、話題になるがある意味で限界もある。映画ならば『ユージュアル・サスペクツ』や『隣人は静かに笑う』、『真実の行方』などがそうだ。一方で『シックス・センス』、『砂の器』、『容疑者Xの献身』は、ドンデン返しやミステリー好きを超えた層まで届くことができているのではないだろうか。

これらの成功したタイプはミステリーに人間ドラマを持ち込むことによって感動を作り出しているので、キャラクターコンテンツとしての性格が強い。特に『砂の器』、『容疑者Xの献身』は最初こそ探偵役に感情移入していくのだが、最終的には犯人の実像に迫っていく。主題となるのは「どうやって殺したのか」というトリックではなくて、「なぜ殺したのか」という動機である。

シャーロック・ホームズが典型的だが、天才かつ変人であるがゆえに、探偵としての魅力がある。一方でそういった天才はつねに読者や観客の予想の先を超えた思考を持っているので、途中で謎解きを開示すると楽しみを減らしてしまう。そのため読者の立場を代弁する助手のワトソンの存在をコナン・ドイルは発明したわけである。こういった基本的な要素に加えて、『砂の器』、『容疑者Xの献身』では最終的には探偵役が、犯人の動機に共感を示す存在として変化していく。こうした作品は古典的ミステリーから進化したフォーマットといえるだろう。

第2章でも記したが、僕は共感型より感情移入型のほうが作品として優れているのではと考えている。殺人や犯罪を行うという、普通なら共感できないキャラクターに、見事なテクニックやノウハウによって最終的に感情移入させるストーリーは、お金を払うだけの価値があると思うのだ。

「どうやって殺したのか」が重要なミステリー

次に後者の「自分で謎を解きたいという欲求のミステリー」を分析してみよう。これは動機ではなく、「どうやって殺したのか」というアリバイやトリック自体が主題になってくる。前者が受動的なミステリーならば、これは能動的なミステリーといえるだろう。

受動的なミステリーは巨大な市場を生み出しているジャンルだが、能動的なミステリーは比較的そうではないと僕は考えている。たとえばスポーツでも、サッカー、野球など競技人口よりも観客のほうが圧倒的に多い。この状況とミステリーは似ていて、単にミステリーを見たい人の数と、ミステリーを実体験したい人の数だと前者のほうが多いのではないだろうか。

またこのジャンルは、キャラクターコンテンツが作りにくい。キャラクターよりもパズルを解くプレイヤー自身のほうが価値が高いからだ。たとえばビデオゲームの『レイトン教授』シリーズは、キャラクターコンテンツとパズル、ミステリーコンテンツの連携が大変上手くいっておりゲームは大ヒットを記録した。だが、そこから『レイトン教授』の売上が右肩下がりになってしまったのは、プレイヤーがゲームの中心である謎解き以上の価値をキャラクターに置けなかったからかもしれない。ゲームの中心ファンは第一に謎解きを求めていたので『レイトン教授』が映画化されてもピンと来なかったのかもしれないのだ。

能動的なミステリーの成功例『リアル脱出ゲーム』

僕自身、クリエイターとして関わったタイトルとして『3年B組金八先生 伝説の教壇に立て！』、『428 〜封鎖された渋谷で〜』、『TIME TRAVELERS』は謎に対する答えが知りたいタイプのミステリー、『TRICK×LOGIC』、『極限脱出 9時間9人9の扉』は自分で謎を解きたいタイプのミステリーと分類することができるかもしれない。

自分で謎を解きたいタイプは、謎に対する答えが知りたいタイプに比べて市場規模が小さいと評したが、僕自身を含めてエンターテインメント業界はそこに挑み続けている。そこに新しい市場があると信じているからだ。

能動的なミステリーの一つの成功例が『リアル脱出ゲーム』である。これは現実世界の会場に集まった参加者たちが、その会場にちりばめられた謎解きをするというもので、二〇〇七年に登場してから隆盛を極めている。しっかりとした世界観が設定されており、参加者が上手く謎解きをすれば、その世界のキャラクターを救済できるようなストーリー仕立てになっている作品もある。

僕の分析では、『リアル脱出ゲーム』は参加することによって謎解きの環境自体が時系列順に管理され三幕構成に近い形で動いている。その中で参加者は感情曲線がコントロールされて、自己体験として感動することができるという仕掛けになっている。たとえば謎解きに失敗して、キャラクターが救われないときすらある。そのとき心に受けるダメージは通常の悲劇的な映画を観るよりも圧倒的に大きい。こうした優れた仕組みが、一つのジャンルとして成立するくらいの市場的な価値を生んだ背景にあると思う。

能動的なミステリーの課題

とはいえ、『リアル脱出ゲーム』など、能動的なミステリーは持続的なIP(intellectual property rights。ストーリー、キャラクター、世界観を網羅する知的財産権)に成長しないという課題を全般的に抱え続けている。これは謎解きを通してプレイヤーとキャラクターとの関係性が作られ、結果的にストーリーが綺麗に終わってしまう構造にあると思う。そのことによって感動は生まれているのだが、完全に謎解き=ストーリーが収束してしまい幕を閉じてしまっているために、続編や派生作品が作りにくいのだ。

『リアル脱出ゲーム』だと、自己体験としての感動にはなるのだが、ストーリーもキャラクターも毎回消費されてしまい、キャラクターIP、世界観IPと派生していかない。強力なストーリー型コンテンツになってしまっているわけだ。こういった映画にしろアニメにしろ、ストーリー型コンテンツの全般的な問題は、僕自身『IPのつくりかたとひろげかた』という本で深掘りしているので、興味があれば一読していただければ幸いである。

『リアル脱出ゲーム』に話を戻すと、謎解きの解決とストーリーの解決が強く結びついている構造がある。謎を解くという一過性と、ストーリーの一過性が一致してしまっているのだ。この問題を解決するには、謎解きから独立した状態でキャラクターや世界観を立ち上げるポイントを作らなければいけない。これはかなり難しいことで僕自身も今度向き合わねばならない課題だと感じている。

後期クイーン的問題とは

もう一つ、能動的なミステリーの分野において、九〇年代から議論されてきた問題がある。それが「後期クイーン的問題」といわれるテーマだ。ミステリーを研究している諸岡(もろおか)卓真(たくま)さんの著作『現在本格ミステリの研究―「後期クイーン的問題」をめぐって』によると、ミステリ作家の法月綸太郎(のりづきりんたろう)さんがこの問題を最初に提起して、その後、ミステリ作家・評論家の笠井潔(かさいきよし)さんがこの問題を取り上げたことで広く認識されたという。

後期クイーン的問題は、それが提起されてから新本格ミステリの作家に幅広く着想を与えた。どのようにしてこの問題を乗り越えられるのか、その試行錯誤がストーリーの中に組み込まれたのだ。こういった理論的背景から思考実験をすることはストーリーに化学変化をもたらす点で有効だ。

この後期クイーン的問題は、本格ミステリに関わる二つの問題であり、日本語Wikipediaがわかりやすくまとめているので、引用してみよう。

第一の問題が**「作中で探偵が最終的に提示した解決が、本当に真の解決かどうか作中では証明できないこと」**である。これは、そもそも作中の探偵が探偵小説というフィクションの登場人物であることを自覚していないことに起因している。読者はそれが探偵小説であることや、ストーリーが完結することを知っているが、作中の探偵は自覚していない。そうすると作中の探偵は、真相を解く段階で、手がかりがすべて揃ったものなのかの証明ができない。もちろん確率的な犯人の推論は成り立つが、「完全な真相」には辿り着けないという問題である。論理を積み上げれば積み上げるほど、新たな証拠が出てくる可能性、偽の証拠が混ざっている可能性、犯人の裏に犯人がいて、その裏に犯人がいる……といったループする袋小路に陥ってしまう。探偵が知らない情報によって、探偵の証明が間違っている可能性までを否定することができない。端的にいうと、閉じた構造を探偵が認識していないと、作者によって後付けがいくらでもできてしまうということである。

後期クイーン的問題で、主要なテーマはこの第一の問題のようである。そして第二の問題としてWikipediaに書かれているのが**「作中で探偵が神であるかの様に振るまい、登場**

人物の運命を決定することについての是非」という問題。これは司法機関でもない探偵が殺人事件などに介入し、さらにそれによって犠牲者が増える場合、その責任をどう考えるかという問題である。これは後期クイーン的問題を論じたものに必ず言及されている問題ではなく、派生した独自研究の趣（おもむき）が強いようだ。

ビデオゲームにおける後期クイーン的問題

この法月さんの後期クイーン的問題、特に第一の問題を受けて、さまざまなミステリー作家が九〇年代後半から、この問題に自分の小説の中で解答を示そうとしてきた。特に第一の問題の解消方法が、メタ的に保障を与えるというものである。たとえば偽の証拠ではないことがわかる超能力、その情報が真実の情報であることを保障する神の存在などを導入すれば、第一の問題はひとまず起こらないというわけである。

前述した諸岡さんの著作『現在本格ミステリの研究』では、『逆転裁判』において超能力、霊媒の導入、またプレイヤーキャラクターの行動をプレイヤーが追認する構造によって、後期クイーン的問題に挑んでいると評価されている。

第一の問題について

僕自身の考えとしては、後期クイーン的問題はビデオゲームでは基本的には起こらないと考えている。第一の問題「作中で探偵が最終的に提示した解決が、本当に真の解決かどうか作中では証明できないこと」だと、この「作中」というのは小説の場合、文章による記述である。しかしゲームの舞台はプログラムで記述された世界があり、作中世界では客観的にその証拠があると表現ができている。小説だと、探偵が最終的に「銃はここにありません」と証明をしたくても、それは悪魔の証明になってしまうだろう。だが、ゲームだと銃を探すことがその世界で実際にできてしまう。そして、銃を探してもなかったら、実際に銃はないということだ。もしも「実はありました」という展開が起こったら、それは単にアンフェアなだけだろう。ゲーム上、知らない証拠が存在することをプレイヤーは察知できないというのはゲームとして破綻(はたん)している。これは作中人物の証言についてもいえる。銃を探すことと同じく、証言を集めることがゲームシステムに含まれているからだ。こうして後期クイーン的問題が指摘する、新しい情報が現れて探偵の証明が覆されてしまうことはビデオゲームではシステム的に防がれている。

ミステリー小説は探偵の主観で記述されているが、ビデオゲームは主人公の主観以外にもプレイヤーの視点が内包されている。主人公とプレイヤーを繋ぐゲームルールは作中の存在であり、同時にメタな上位の存在でもある。ビデオゲームは「プレイヤー」と「ルール」という、もともとメタな領域に踏み込んでおり、それが情報の真実性を保障しているのである。こうして後期クイーン的問題の第一の問題は起こらないのである。

ゲーム的な後期クイーン的問題

とはいえ、ノベルゲームのような主人公の主観だけでストーリーを描いてしまうと第一の問題は起こり得るだろう。それは実質的に小説の記述と変わりがないからだ。しかし一般的なノベルゲームには、選択肢やバッドエンド／グッドエンドというゲームシステムに備わっているので、その真実性は担保されているはずだ。もちろん、そのグッドエンドというゲームシステムそのものが信じられないというのはあり得る。そういう意味では、ゲーム的な後期クイーン的問題はゲームシステム懐疑論(かいぎろん)に行き着く。だが、それは僕はゲームとして破綻しているのではと思ってしまう。

なぜ『かまいたちの夜』が優れているのかというのが、ここにも関わってくる。『かまいたちの夜』は最初から犯人の謎を解けてしまうからだ。解けてしまえるのに、プレイヤーの思い込みで解けないのだからすごい。これを進化させているのが『かまいたちの夜×3』だ。この作品は解ける解けないではなく、プレイヤーの誤認、間違った考え方によって意味を取り違えることが仕掛けになっている。詳しく話すとネタバレになるが、それによって物語を別解釈することになって、ゲーム的ミステリーを巻き起こしている点が秀逸である。

第二の問題について

次に第二の問題、「作中で探偵が神であるかの様に振るまい、登場人物の運命を決定することについての是非」について。第2章で少し触れたように、小説の因果律を支配する神は作者だが、ゲームの場合は作者とプレイヤーの二人の神が存在している。登場人物の運命を決定するのは作者だけではなく、プレイヤーも同じなのだ。そういう意味において、登場人物の運命を決定することができるゲームシステム自体が、すでに組み込まれているのがゲームの原理なのである。そこで是非を問うべきなのは、登場人物の運命を決定づける探偵の行為ではなく、そのような選択肢が組み込まれているのかというゲームシステムそのもの、そしてそれを選択したプレイヤーということになる。ゆえにこの後期クイーン的問題の第二の問題もビデオゲームでは起こらない。

ビデオゲームにおいて倫理的な問題はプレイヤーとゲームシステムを組み込んだ作者のほうに問われてしかるべきだが、プレイヤーとプレイヤーが操作するキャラクターは基本的に一致して描かれるので、こうした是非自体をメタなテーマとして描くことはあり得るだろう。

以上が僕が考えた後期クイーン的問題だが、いかがだっただろうか。もちろん異論がある人もいるだろう。こうした問題提起を是とするか非とするかにせよ、僕が伝えたいことはパラドックスそのものを取り入れることで、ストーリーを思考するレイヤーが一つ増えて、ストーリーテリングの新機軸性が増すということだ。それは後期クイーン的問題だけではなく、第四の壁でもいいし、さまざまなパラドックスでもいい。いわば物語のスパイスとして、こうしたものを意識しておくことは有効だろう。

ゲームという思考実験

同じように本格ミステリとビデオゲームのストーリーメディアとしての特性を知ることによって、物語の思考実験の幅が広がることは間違いない。本格ミステリとビデオゲームに共通する、主人公とプレイヤーの二重性というのは、これまでのストーリーに対する思考を変化させる概念だ。たとえば映画メディアが発明されたとき、それに影響されて映像的な小説やマンガが出てきた。

エンターテインメントの進化を促すのは、こういった新しい技術や文化だろう。僕は「ゲーム」はさまざまなクリエイターが対峙すべきメディアだと考えている。それはビデオゲームだけに限らない。ストーリー性があるボードゲームやテーブルトークのアナログゲーム、前述した『リアル脱出ゲーム』のような体験型ゲームは、ストーリーテリングの将来の可能性を描いていると僕は思っている。ゲームのルールやプログラム、それらが描き出す仮想現実と対峙することで、さまざまなストーリー作りのヒントを与えてくれるはずだ。ミステリーを「謎解き」ではなく「プレイヤー」というビデオゲーム体験という概念から注目し直すことによって、ストーリーは新しく生まれ変わる。現在、受動的ミステリーのほうが商業的なエンターテインメントとしては成り立ちやすいが、ストーリーテリングとしてみたとき、能動的なミステリーにこそ僕は未来の可能性を感じている。

ここからビデオゲーム以外にも、近年、隆盛しているミステリーゲームの新ジャンルについて紹介していく。こういったジャンルは、登場したばかりでまだまだ僕も分析は足りていない部分も多いが、僕自身、積極的に参加をしたり主催をして大きな可能性を感じている。特に僕といえば「人狼ゲーム」なのだが、このゲームについて感じた可能性については第4章で詳しく述べたい。まずは「マーダーミステリー」について紹介しておこう。

新しいミステリーゲーム「マーダーミステリー」

「マーダーミステリー」は、二〇一九年あたりから日本でも専門店ができあがるほど注目されている新しいアナログゲームである。もともとは源流とされるパーティーゲームが、二〇世紀前半のイギリスやアメリカであったと推測されている。よく説明がされるのが、ここ数年中国で流行しており、その中のタイトルの一つ『王府百年』が日本に紹介されたのを皮切りに、日本でも瞬く間に広まったということだ。このように最近、アジアで注目されたジャンルなので日本で遊ばれている主流のルールがいつどのように中国において確立されたのか、歴史的経緯の詳細はまだ伝わっていない。

このゲームは四人から一〇人ほどの参加者が集まり、キャラクターシートと呼ばれる資料が配られるところからスタートする。それぞれのキャラクターシートには登場人物の経歴、目標、事件当日の行動などが記載されているので、これを一〇分ほど時間をかけて読み込む。参加者全員が読み込んだら実際のゲームプレイがスタート、参加者の中に紛れ込んでいる殺人犯を見つけるため、設定に沿って誰が殺人犯なのかを議論していく。ただしそれぞれの参加者は、殺人犯を見つける以外にもキャラクターシートの目標があるのでこれを達成するために動く必要がある。たとえば殺人を犯してはいなくても、違う犯罪に加担していたり、秘密を隠しているキャラクターが存在する。キャラクターはその秘密を隠し通す目標があるため、議論の質問にもはぐらかしたりする行動を取る。こうして犯人探しも一筋縄ではいかないものとなっている。

ただマーダーミステリーの課題として、犯人役は嘘や詭弁を弄(ろう)して推理から逃れる必要があるため、役割が分担された参加者への負担が大きく、犯人役は素直にストーリーを楽しめない立場になってしまう場合もある。また早々に推理されてしまうと犯人役が袋叩きにあうため、簡単には犯人が当てられないようにするための設定が盛られていることも多い。

僕が実際にプレイしてみた感想としては、そのストーリーに登場するキャラクターになったような興奮が味わえたり、結末にも犯人当てを超えたドンデン返しなどの工夫が凝らされているものも多く、とても面白いゲームジャンルである。

ただし、自分に割り振られたものが共感できる人物ならいいのだが、共感できない人物だと、キャラクターシートを読むときの一〇分間程度の時間では感情移入が中々できない。しかし、共感できるキャラクターばかりだと殺人事件が起きないので、共感とは遠い個性的なキャラクターの配置は必須だ。それをどのようにセットアップしていくのかが課題のように感じている。たとえばただ卑劣な犯人だと感情移入ができにくいが、犯人にも一定の正義があるなど、感情移入しやすい工夫が必要だと感じた。

マーダーミステリーの大傑作『ランドルフ・ローレンスの追憶』

こうしたさまざまな課題を克服したマーダーミステリーとして、特に僕が感銘を受けたのが『ランドルフ・ローレンスの追憶』という作品である。作ったのは日本のアナログゲームクリエイターのじゃんきちさん。プレイ時間は五時間に及ぶ大作だ。犯人を当てるというよりも、この世界は何なのか、自分は何者なのかという探索からゲームはスタートする。この段階でマーダーミステリーの定石を覆しているといえる。世界が靄にかかっているところからはじまり、キャラクターシートを読み込むのではなく、設定の一つ一つをドラマの中で手に入れていくので、そのことが感情移入を高めている。

これは良質なビデオゲームや映画などのエンターテインメントを超えて、プレイヤーの心を揺さぶってくる。二〇二一年時点でのマーダーミステリー的ゲームの一つの到達点といっていいだろう。もし機会があれば体験していただきたい。

オンライン・イマーシブ・シアター

二〇二〇年の新型コロナウイルス感染症の流行によって、『リアル脱出ゲーム』やマーダーミステリー業界は窮地に追いやられた。実際に顔を合わせて遊ぶこうしたアナログゲームは感染症リスクの標的になってしまったのだ。そこで各業界はオンラインでも遊べる『リアル脱出ゲーム』やマーダーミステリーを模索した。

その中で新たに立ち上がってきたのが、参加型演劇、いわゆるイマーシブ・シアターをオンラインでできないかという試みだ。数々のストーリー重視の『リアル脱出ゲーム』の名作を作ってきたゲームクリエイターのきださおりさんが『のぞきみＺｏｏｍ』という実験的な作品をまず作り、それに手ごたえを得たため「Inside Theater」としてオンラインのイマーシブ・シアターのシリーズを立ち上げた。その第一弾が『SECRET CASINO』である。この作品に僕は企画協力、脚本として参加している。

すでに僕の中にあったイマーシブ・シアターのノウハウ

実はこの企画への参加が決まったとき、かつて僕が開発した二つのアドベンチャーゲームのノウハウを持ち込めることができると思った。一つが『3年B組金八先生 伝説の教壇に立て！』のノウハウである。イマーシブ・シアターはさまざまなキャラクターたちの行動が、さまざまな空間において同時多発的に演じられている特徴を持つ。そのため参加者は、あるキャラクターに密着するしかなく、すべてのキャラクターたちの行動の全容はわからない。その限定的な情報こそが一期一会（いちごいちえ）という臨場感を生んでいるのだが、実はこの仕組みは、『3年B組金八先生 伝説の教壇に立て！』のアドベンチャーパートのポイントとして設計したことがあった。イマーシブ・シアターの世界的な代表作『Sleep No More』の初演は二〇一一年なので、こうした仕組みの導入はまったくの偶然である。だからこそ、『SECRET CASINO』の企画をいただいた時点で僕はイマーシブ・シアターの勘所（かんどころ）をそれなりに摑めていたのではないかと思う。

『SECRET CASINO』は、ビデオ通話サービス「Ｚｏｏｍ」を用いてオンラインでイマーシブ・シアターを再現する。実はこのビデオ通話という観点からも僕はある経験を持っていた。それが『TIME TRAVELERS』に収録されている『ＴＴフォン』というビデオ通話を題材にしたアドベンチャーゲームである。この『TTフォン』は現在から過去にあたる二〇〇二年のキャラクターとビデオ通話をして、コミュニケーションを楽しむというゲームだ。

この『TTフォン』自体、さまざまな作品から着想を得ている。一つが現実の時間とリンクしたコミュニケーションを楽しむ『Little Lovers』という僕の初期作、またビデオ通話でやり取りをするという意味では『NOëL』という九〇年代のアドベンチャーゲームが、とても革新的だったので僕なりに影響を受けている。そして最後に時間を超えてコミュニケーションをするという意味では映画『オーロラの彼方へ』である。ビデオ通話でドラマが展開していくという仕組みの勘所も、これらのいくつかの前例から僕はある程度イメージできていたと思う。

『SECRET CASINO』は、「Inside Theater」シリーズの第一弾作品ながら、僕なりに高度な作劇案を持ち込むことができたと思っている。僕自身、比較的自身が参加した作品においては至らない点を反省するばかりだが、この作品に関してはかなり満足しており、体験していただいた方からも高い評価を得ることができた。もちろんこの作品はきださんを中心にした多くのスタッフ・キャストの共作であり、僕のアイディアはその一部でしかないことは強く伝えておきたい。

ネタバレを含んだ『SECRET CASINO』の解説　その1

ではここから『SECRET CASINO』が具体的にどのような作品なのか説明してみよう。

なお、筆を執っている段階では『SECRET CASINO』は再演する可能性があるので、実際に体験してみたいという人はこの段落を読み飛ばすことをお勧めする。だが読者の中には本書が発刊されてから一〇年後、二〇年後にこの文章を読んでる人もいるかもしれない。その時点で『SECRET CASINO』が再演する見込みがほとんどないならば、ここの解説を読んで思いを馳せて欲しい。

――『SECRET CASINO』ここからネタバレ――

まず『SECRET CASINO』は公式Webサイトでは、このイベントを「秘密のリンクから入室できるオンラインナイトパーティ」と説明しており、強制ではないが、カメラの向こう側でドレスアップやドリンクを用意してくることが推奨される。実際、参加者の中にはドレスやスーツで着飾った方がおり、とても嬉しい限りだ。

　参加者には招待状が書かれたWebサイトにアクセスできるメールが送られてくる。その招待状はJOKERという差出人からであり、「パーティの秘密を見つけ　そして……　誰も死なせないようにしてください」という謎のメッセージが書かれている。ゲーム当日には、招待状からオンラインパーティ会場に入室できるのだが、仮面を被ったJOKERからの動画メッセージが流れ、あらためて招待状の内容が繰り返される。

　Webサイトにはパスワードを入力する箇所があり、JOKERから告げられたパスワードを入力するとZoomが起動。そこではディーラーやマジシャン、バーテンダーなどカジノスタッフがいて、参加者に挨拶をしてくれる。ラウンジ、カジノ、バー、ライブ、手品の五つのルームがあるので、さきほどのWebサイトでパスワードを入力すると各ルームに自由に行けるので、それぞれの演目を楽しむことになる。なお、Zoomの特性上、同時接続はできないので、一つのルームを見ている間は、他のルームを見ることはできない。

特筆すべきはカジノのルームであり、スマートフォンの専用アプリを通して、カードのマークを当てるゲームを楽しむことができる。アプリにはちゃんとスコアが加算される仕組みだ。なおイマーシブ・シアターの特性上、各ルームによってそれぞれの体験は変わるのだが、最終的な物語体験は変わらず理解できる仕掛けになっている。

ネタバレを含んだ『SECRET CASINO』の解説　その二

ある時間になると、ラウンジルームに参加者は集合し、ディーラーの女の子から参加者に会員カードを作るよう推奨される。ディーラーの女の子が紹介したURLに飛ぶと入力フォームが出てくるのだが、年号の入力が「平成」までしか選べない。疑問に思った参加者が「平成までしかない」と伝えると、ディーラーの女の子は「今日は平成二五年（初演時）ですよね」と返答。もちろん参加者は「今は令和ですよ」と告げるが、女の子は「令和？今年は二〇一三年ですよ」と不思議なことを言う。参加者がスマートフォンの画面を見せるなど、さまざまな試行錯誤を経て、やっと女の子は二〇二〇年という七年後の未来にいる参加者と繋がっていることを信じてくれる。

女の子は自分のフルネームである「〇〇りつ」でネット検索して、二〇二〇年の自分は何をしているのか調べて欲しいと参加者に頼んでくる。ところが参加者がその名前を検索してみると、表示されるWebサイトでは、オンラインカジノの現場が火事で全焼、たまたま使いに出ていたりつ以外のスタッフは全員が死亡したという七年前の記事が出てくる。

そのことを参加者が伝えると、りつは各ルームにいるスタッフを救出することを決意。ノートPCを片手に各ルームに走っていく。

ネタバレを含んだ『SECRET CASINO』の解説　その三

ここまで『SECRET CASINO』は固定カメラだったが、ここからはりつが持つノートPCのカメラを通して、映画の手持ちカメラのような臨場感のある視点でドラマを見守ることになる。りつは各ルームで出火の原因となる火元を消していくが、そのたびに参加者がWeb記事を更新すると、別の火元が出現。それをりつに伝えて、最終的にはすべてのルームの火元を消して、スタッフ全員を外へと避難させることに成功する。だが結局、防火扉が下りてりつは一人建物の中に取り残されてしまう（このときWeb記事を更新すると、りつが死亡した記事が書かれている）。りつを救うには近くの防火扉を開けるしかない、だがそれを開ける方法がわからない。参加者は防火扉の型番で検索すると、防火扉を作った会社のホームページに辿り着けるので、扉を開ける方法が知れる。だが、ここでノートPCの電池が切れそうになり、りつ側からは参加者のチャットや顔が見えていないようだ。

Zoom以外の方法で、りつに情報を伝える方法はないのだろうか？　実はこれまでの情報から、りつに防火扉を開ける方法を伝える手段がある。そこに参加者が辿り着けるのかが鍵だ。そしてその方法を伝えると、りつとの通信は途切れてしまう。

映像が再開すると、そこはラウンジルーム。そこには成長した七年後のりつの姿がある。実はこの映像は過去ではなく現在のカジノだ。招待状を送ったJOKERは過去を救って欲しいと願った、時間が書き換えられる前の現在のりつだったのだ。カジノスタッフは参加者にお礼を言って、物語の大団円を迎える。

第五の壁を越えた『SECRET CASINO』

僕はこの作品を舞台用語の「第四の壁」の概念をアップデートして「第五の壁を越えた」と、自分なりの言葉で評している。第四の壁とは舞台と観客を隔てる見えない壁のことだ。舞台の演者が現実の観客に向かって問いかけた場合、「第四の壁を越えた」と評される。

この考えを『リアル脱出ゲーム』に当てはめると、ストーリーの舞台に観客がいると解釈することができる。第四の壁の内側にお客さんが入っているのが『リアル脱出ゲーム』なのだ。だが、そこは舞台の中なので、外の現実の世界に対して何か影響を与えているわけではない。

『SECRET CASINO』の場合、演者はＺｏｏｍを通して、参加者に対して問いかけている。つまり第四の壁は越えているわけだ。しかしここにタイムトラベル要素が入っているのがミソである。Ｚｏｏｍで参加型の謎解きを体験させたければ、演者側が参加者に「どうしたらいいですか、右ですか左ですか」と問いかけ、「右です」と言われたら右の芝居、「左です」と言われれば左の芝居をするのが本来の仕組みだろう。しかし『SECRET CASINO』の場合は、「右です」と言ったら、それは参加者が過去を改変していることになる。その結果、今の僕らの現実世界の現在そのものが書き換わるのだ。つまりこれは第四の壁を越えた状態から、時間という壁を突破している。Ｚｏｏｍの向こう側で描かれるフィクション自体が書き換わるのではなく、Ｚｏｏｍの向こう側に参加者がアプローチすることによって自分たちのもう一つのリアルが、時間という次元を超えて書き換わる。この仕組みを僕は「第五の壁を越えた」と表現しているわけである。

――『SECRET CASINO』ここまでネタバレ――

ＴＶ番組『安楽椅子探偵』

僕はこうした別のレイヤーを入れることによる物語のアップデートを、二〇一七年にＮＨＫ　ＢＳプレミアムで放送された視聴者参加型番組『謎解きＬＩＶＥ』の『ＣＡＴＳと蘇ったモリアーティ』でも実践しているので、次はそのことについて語ってみたい。

もともとこの番組の源流は、九〇年代末から放送された『安楽椅子探偵』というＴＶ番組である。エラリー・クイーンの読者への挑戦状というスタイルをＴＶにて取り入れたもので、まず謎を提示する「出題編」を放送し、その翌週に放送される「解決編」までに視聴者は事件を推理する。番組のWebサイトの専用フォームで、犯人の名前とその結論に至った推理のプロセスを書いて応募して、それが番組に認められると、懸賞金がもらえるという視聴者参加型の番組だ。

ネタバレ解説『ＣＡＴＳと蘇ったモリアーティ』

僕が原作を手掛けた『ＣＡＴＳと蘇ったモリアーティ』も現時点で再放送やソフト化がされていないので、せっかくなのでここでネタバレ解説をしておこう。

このドラマのストーリーは、ＡＩとして蘇ったモリアーティ教授が、ライバルであるシャーロック・ホームズを探しているという設定だ。そのAIモリアーティが、『謎解きLIVE』のレギュラーで登場する探偵チームCATSに牙を剝く。AIモリアーティは、CATSを眠らせて監禁するのだが、眠っている間にある殺人事件が起きている。そして殺人事件の謎を解かないとCATSたちを殺すと脅す。視聴者はその殺人事件を推理して決定的な情報を公式Webサイトにある専用フォームを通じて、CATSたちに伝えなければいけない。

『CATSと蘇ったモリアーティ』ここからネタバレ

実はここまで、ある種のミスリードになっている。種を明かすと、殺人事件の犯人を捜すためにCATSが推理していくことを視聴者が単純にサポートしても謎は解けない。外部の人間、つまり視聴者だけが知り得る情報をCATSに教える必要がある。それは今までの映像がすべて左右逆に加工されているということだ。そのミスリードに気付ければ、時間や文字の情報が全てひっくり返るので、CATSは真相に近づけることになる。

だがもう一つ、意地悪な問題が隠されている。それは公式Webサイトの専用フォームだ。ここに真相を書いて送信してもCATSには届かない。ほとんどの視聴者は差出人の名前に自分の名前を書いて送信しただろう。実はここも謎解きと関係している。視聴者は、自分の名前を「シャーロック・ホームズ」と設定しないと、CATSには届かないのだ。途中何度も出てくる「シャーロック・ホームズはどこにいる?」というモリアーティのセリフに対して、「シャーロック・ホームズ」を視聴者が名乗ることによって、TVの登場人物たちに初めてメッセージが届く。

―――『CATSと蘇ったモリアーティ』ここまでネタバレ―――

『SECRET CASINO』や『CATSと蘇ったモリアーティ』は、僕自身のゲームクリエイターとしての問題意識を通して、新しい当事者性をお客様に提案した取り組みといえるだろう。

京大ミステリ研の「犯人当て」とは

こうした能動的ミステリーの「読者からの挑戦状」を抽出したゲームで、「犯人当て」というものがある。これはミステリーの愛好家の中の愛好家たちが遊ぶコアなゲームで、あまり一般的には知られてはいない。もともとは日本の京都大学推理小説研究会、通称、京大ミステリ研に所属するミステリーを愛好する学生たちがやっていたテーブルトークのゲームだ。京大ミステリ研は綾辻行人（あやつじゆきと）さんをはじめ、我孫子武丸（あびこたけまる）さん、法月綸太郎さんといった八〇年代後半から九〇年代前半に新本格ミステリの流行を作り出した作家が在籍しており、現在でも多くの若手ミステリ作家を輩出している。

「犯人当て」とは、端的にいうとエラリー・クイーンの「読者からの挑戦状」を抽出したゲームだ。まず出題者が自分が作ったミステリーを読み上げる。そこから探偵役の参加者はどのようなトリックなのか、犯人は誰なのか、出題者に対して厳密に説明をして正解に辿り着かないといけない。

「犯人当て」を取り入れた『TRICK×LOGIC（トリックロジック）』

僕もそうなのだが、本格ミステリを読んでもなんとなく推理するだけで、隅々まで丹念に読み込み推理をしてから解答を読むという人は稀なのではないだろうか。

僕はゲーム会社チュンソフト在籍中にミステリーを題材にしたサウンドノベル『かまい

たちの夜』の移植版の開発に参加していたこともあって、ミステリーのビデオゲームを今後どのようにアップデートできるのかをずっと考えていた。そのようなときに知ったのが、『安楽椅子探偵』と「犯人当て」だったのだ。この手法をもっとデジタルゲームに持ち込めないかと考えて企画したのが、二〇一〇年発売の『TRICK × LOGIC』である。

この『TRICK × LOGIC』も「犯人当て」のように、明確に問題編と解決編が分かれている。このゲーム開発をしたときは『リアル脱出ゲーム』はまだはじまっていなかったが、今から考えると『リアル脱出ゲーム』と本格ミステリの中間ぐらいのものを狙って作っていたといえる。『リアル脱出ゲーム』は、ストーリーと謎解きの面白さで成立しているが、個々の謎解きとストーリーとは独立しており比較的シンプルだ。また本格ミステリは必ず作中の探偵による解説が挟まれるため、謎解きが難しくても必ずしも読者は推理する必要はない。『TRICK × LOGIC』の謎解きは本格ミステリに近い歯応えのある難易度に設定している。

特殊な設定なのは主人公の探偵は冥界(めいかい)にいて、その場所から「アカシャ」と呼ばれる現世で起こった殺人事件が記録されている書物を読んで、その真相を解き明かす必要があることだ。つまり探偵は「犯人当て」をメタな視点で取り組んでいることになる。

後期クイーン的問題を回避した『TRICK × LOGIC』

この狙いとしては、ストーリーやキャラクターが謎解きと一緒に閉じてしまいＩＰになりにくい『リアル脱出ゲーム』で起こっていた問題を回避することを狙っている「犯人当て」はマニアックな推理を要求されるので、なおさらライトで一般的なエンターテインメントと相性が悪い。実際、『TRICK × LOGIC』の謎解きパートではキャラクターを立てていないし、ストーリーは謎解きとともに閉じている。しかしそれをメタ的にみている冥界を設定することで、キャラクターとストーリーを持続させようと試みている。「犯人当て」自体を別の包装紙にくるんでいるわけである。

またこの仕組みを設置することで後期クイーン的問題を回避している。たとえば「作中で探偵が最終的に提示した解決が、本当に真の解決かどうか作中では証明できないこと」については、「アカシャ」という真実しか記録してない書物を読むことで設定的に起こらない。また「登場人物の運命を決定づける是非」についても、冥界で閻魔大王と罪を探るストーリー、つまりもともと神の視点なので、運命を決定づけても構わないわけだ。

「犯人当て」というのは、まだまだコアな推理ファン向けの遊びで、『リアル脱出ゲーム』や「マーダーミステリー」ほどの市場は形成されていない。ただこういったミステリーゲームが普及し、謎解きを楽しむプレイヤーは着実に増えてきているので、さらなる謎解きの歯応えを求める人たちが増えると、近い将来「犯人当て」にも光が当たる時代が来るのかもしれない。

この章ではミステリーを僕なりに整理した上で、本格ミステリの読者の概念はストーリーゲームのプレイヤーに先駆けた概念であったこと、そして隆盛しているミステリーゲームや僕の取り組みについて紹介した。こういったものが現在のさまざまなストーリー作りに今後どのように影響を与えるのか注視したい。ミステリーが普遍的になったように、このようなゲームを通してストーリーはアップデートされていくはずだ。

ビデオゲーム、特にストーリーを主眼としたアドベンチャーゲームでもミステリーは重要な一角を担っている。特に日本においては『ポートピア連続殺人事件』などのミステリーアドベンチャーゲームが黎明期にジャンルの一角を担った。そして、その後『弟切草』というミステリー仕立てのアドベンチャーゲーム、『かまいたちの夜』という本格ミステリのアドベンチャーゲームが、ジャンルのスタイルを劇的に変えてしまった。次の章では『弟切草』と『かまいたちの夜』がアドベンチャーゲームの何を変えたのかを基点に、日本のアドベンチャーゲームを分析し、ついには僕が考える未来のストーリー像を提示したい。

第4章 AIが作るストーリーの未来像!

ゲームの物語作りの最先端とその未来

ビデオゲームのストーリーテリング

この章の前半では『弟切草』、『かまいたちの夜』を基点として、ビデオゲームのストーリーテリングがどのように変化し、ストーリーの可能性を広げたのかを考察していく。

こうしたビデオゲームの実験でもたらされた新しい価値観は、すでに多くの映画、アニメ、小説など幅広いジャンルに影響を与えている。典型的なのは海外ドラマ『ウエストワールド』や、映画『ジュマンジ：ウェルカム・トゥ・ジャングル』、またトム・クルーズ主演の映画『オール・ユー・ニード・イズ・キル』(原作は桜坂洋さんの小説『All You Need Is Kill』)、アニメ『魔法少女まどか☆マギカ』などが代表的な作品だろう。この章の前半ではこうした作品におけるビデオゲーム的な価値観を明らかにして、後半ではそれらを踏まえつつ、シミュレーションゲームの可能性と物語のノウハウを合わせた未来のストーリーテリングを提示する。

「ゲームの物語づくりの最先端が〝いま〟〝どこに〟あるのかを確認しなければならない」

なおこの章は、ゲームWebメディア「4Gamer.net」に二〇一三年に掲載された「イシイジロウ氏ら第一線で活躍するクリエイターがアドベンチャーゲームを語り尽くす！ ——

『弟切草』『かまいたちの夜』からはじまった僕らのアドベンチャーゲーム開発史」という記事[*4]をベースに、今の僕が改めて語り直したものとなる。

この記事は、そもそも僕が企画を主導したもので僕の問題意識がとても凝縮されて語られている。もともとはアドベンチャーゲームのクリエイターが集まった座談会記事のため、改めて僕が語り直してもその本質は変わらないだろう。また、この記事の冒頭には僕の発言が引用されている。それは「ゲームの物語づくりの最先端が〝いま〟〝どこに〟あるのかを確認しなければならない」というものだ。実際ここで語られているテーマは、二〇一八年に発売され、とても評判になった『Detroit: Become Human』にも見られることなので、いまだに最先端であることは変わらないはずだ。だが、この第4章前半ではそれらを踏まえつつ、後半で未だ実現できていない、遥か先のビデオゲームの未来を提示したいと考えている。

第3章のミステリーから問題意識を引き継げば、「プレイヤー」という概念によってビデ

---

*4　4Gamer.net：イシイジロウ氏ら第一線で活躍するクリエイターがアドベンチャーゲームを語り尽くす！――「弟切草」「かまいたちの夜」からはじまった僕らのアドベンチャーゲーム開発史（前編）https://www.4gamer.net/games/074/G007427/20131108107/　（後編）https://www.4gamer.net/games/074/G007427/20131109008/

オゲームのストーリーテリングがどのように開花したのか、それは『弟切草』と『かまいたちの夜』で顕著になったと考えている。また『かまいたちの夜』はその開発の出自からして、ミステリーと深い関係がある。『かまいたちの夜』は新本格ミステリ作家の我孫子武丸さんがシナリオを担当しているからだ。まずは『弟切草』と『かまいたちの夜』以前の日本のアドベンチャーゲームの様相を確認しておこう。

初期のアドベンチャーゲーム

アドベンチャーゲームの最初期のシステムは「コマンド入力型アドベンチャーゲーム」で、海外ではしばしば「インタラクティブ・フィクション」とも呼ばれるスタイルである。このスタイルでもっとも世界的に有名なタイトルは一九八〇年の『Zork』だ。「部屋を見る」、「鍵を取る」などキーボードで名詞と動詞を入力しながら、洞窟の中を探索して宝物を集めていく。古典的な作品で有名なタイトルとして『ミステリーハウス』があるが、こちらは洋館が舞台だ。実は僕が一九歳のときに作ったデビュー作『イミテーションシティ』も、コマンド入力型のアドベンチャーゲームである。

日本ではこのコマンド入力型のアドベンチャーゲームは海外に比べると、すぐに廃れてしまいメインストリームなゲームにはならなかった。色々な要因が考えられるが、英語圏だとアルファベットを入力すると、そのまま自然言語になるのに対して、日本語だと必ずしもそうならないことが要因と考えられる。ひらがなやカタカナだけだと自然な文章にならず、また漢字変換をするとなると一つ入力の手間が増えてしまうことがネックになった。

だが、おそらく最大の要因は「コマンド入力型」に代わる「コマンド選択型アドベンチャーゲーム」というスタイルが発明されたからだ。これを作ったのは『ドラゴンクエスト』シリーズの堀井雄二さんである。一九八四年に『北海道連鎖殺人 オホーツクに消ゆ』で初めて搭載され、翌年のファミコン版『ポートピア連続殺人事件』によって、さらにこのスタイルは普及した。コマンド選択だけ取り出せば、それ以前にも採用したアドベンチャーゲームはあるのだが、基本的なフォーマットとして昇華させたのは堀井雄二さんであるとみて間違いない。

コマンド入力型では行動するときには「鍵を取る」とわざわざキーボードで入力しなければならなかったが、コマンド選択型は「見る」、「取る」などの動詞が最初から表示されており、それをプレイヤーが選択すると、今度は名詞の「扉」や「鍵」などを選択して行動する仕組みになっている。最初から選ぶべきコマンドが表示されているので、コマンド入力型のように単語を探さなくてもよく、また十字キーという家庭用ゲーム機のコントローラーとも相性がよかった。つまりよりストーリーに集中できたのだ。このコマンド選択型は、八〇年代から九〇年代にかけてＰＣ市場でも家庭用ゲーム機市場でも日本のアドベンチャーゲームのスタンダードとなった。

サウンドノベルの誕生

しかし九〇年代に入って、このコマンド選択型の潮流を変えるほどのインパクトを持ったゲームが登場した。それが一九九二年に発売されたサウンドノベル『弟切草』である。もともとそれ以前から小説のような読み応えを意識したアドベンチャーゲームはあったが、『弟切草』はコマンドを選択しなくても、ボタンを押すだけでどんどんと文章が進み、ストーリーが楽しめるようになっている。そしてときおり表示される選択肢を選ぶだけで、ストーリーは劇的に変化をした。

『弟切草』はグラフィック自体は簡素に作られているが、その代わりスーパーファミコンのサウンドチップを活用した音の表現にこだわった作風を押し出したので、自らのジャンルを「サウンドノベル」と標榜（ひょうぼう）した。そしてサウンドノベルの第二弾『かまいたちの夜』

がさらにジャンル確立の決定打となり、サウンドノベルから影響を受けた多くのフォロワーが九〇年代中頃から続々と作られた。それらは大枠では「ノベルゲーム」や「テキストアドベンチャー」、「ビジュアルノベル」などと呼ばれている。

直線型とは何か

こうした「コマンド入力型」、「コマンド選択型」、そして「ノベルゲーム」というアドベンチャーゲームの流れを俯瞰して捉えた場合、「コマンド入力型」と「コマンド選択型」は「直線型」、そして「ノベルゲーム」は横に並べた「フローチャート構造」に分けられるというのが僕の考え方だ。

直線型というのは、基本的にストーリーが一本道だ。そして物語を進めるために展開の合間、合間に謎解きなどの違うゲームが入っていると捉えることができる。これは『バイオハザード』などのアクション・アドベンチャー、『ドラゴンクエスト』や『ファイナルファンタジー』などのRPGについても同じことがいえるだろう。物語⇓ゲーム⇓物語⇓ゲーム……といったように、物語とゲームがそれぞれ独立していて、物語の間にゲームが挟まっている作品群である。この間に挟まっているゲームとは何かというと、アドベンチャーゲームならばパズルのような謎解き、ＲＰＧやアクション・アドベンチャーならば戦闘といった具合だ。

こうした直線的なゲームの特徴は「死」という概念があることだ。もちろんエンディング手前で分岐が起きていくつか物語が生まれることもあるが、基本的には「死ぬか生きるか」の概念のみで物語は作られている。「正しい答え」と「間違った答え」があり、間違った答えを選ぶと主人公は死んでしまう。「あなたは正しい答え、正しいエンディングに到達できるか？」という構造だ。これは第3章で言及した本格ミステリや、ミステリーゲームの多くがこの構造になっていることに気付くだろう。

『弟切草』が生み出したもの

それと比較すると、『弟切草』は途中で死ぬことがない。マルチストーリーという概念になっているのが特徴

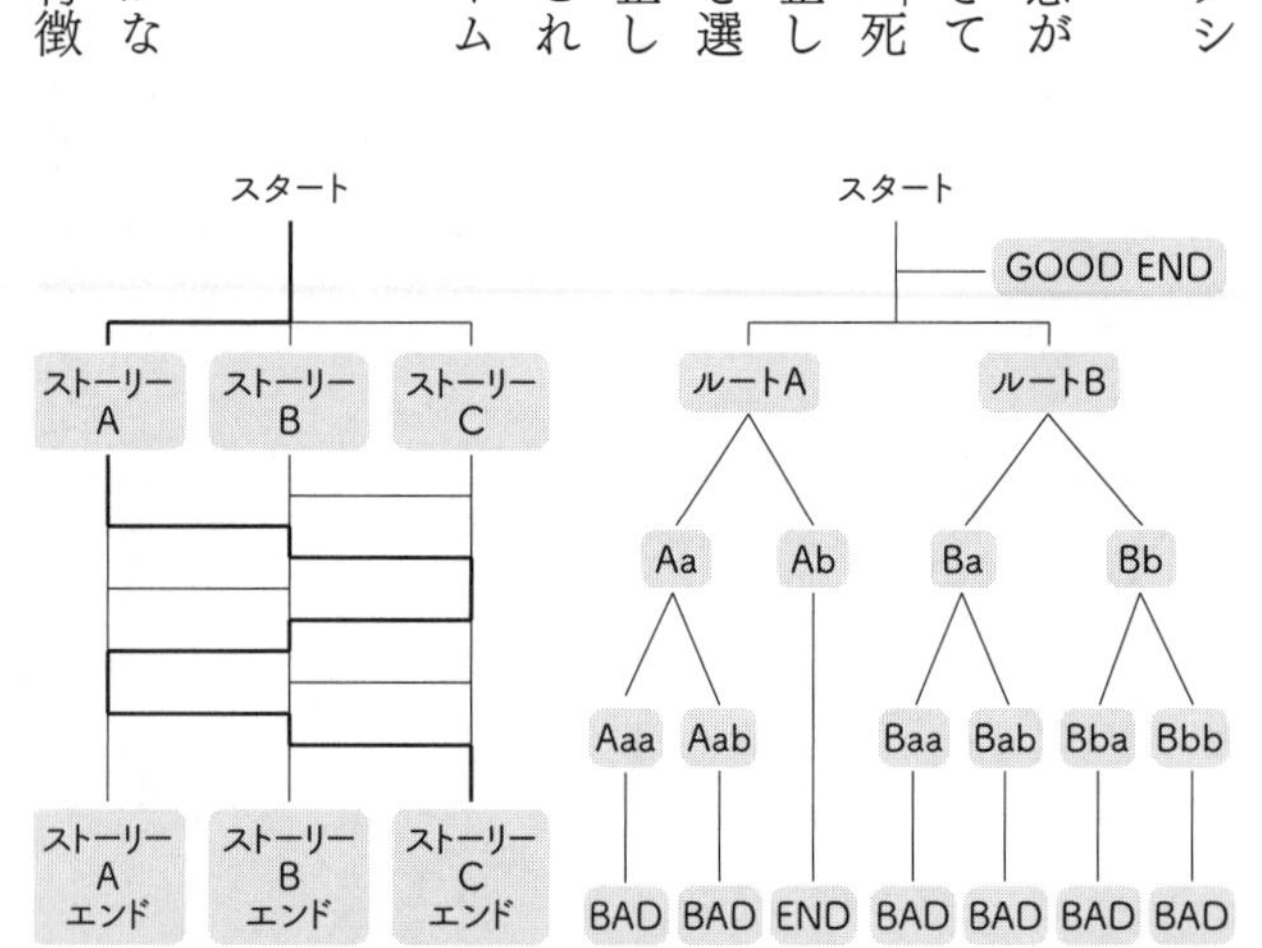

図19 『弟切草』と『かまいたちの夜』のフローチャート

だ。物語そのものが複数あり、ヒロインが殺人鬼だったり、悪魔だったり、悲劇的な恋人になる展開もある。これらはどれも正解のストーリーなのだ。根本は同一の設定だが、そこから色々なストーリーに派生していく。『弟切草』はサウンドノベルの第一作となった記念碑的作品だが、実はこの派生して物語そのものが変わってしまうマルチストーリー型自体は、その後においては、ほとんど作られていない。数多くのストーリーを用意しなくてはいけないので、開発のコストが増大すると同時に、辻褄を合わせることに膨大な手間がかかるからだろう。サウンドノベルに影響を受けたゲームは、次の『かまいたちの夜』の「ミステリー編」におけるマルチエンディングの構造をほとんどの後発作品が採用している。

このように考えたら、サウンドノベルの第一作が『弟切草』であることはとても不思議なのである。むしろ『かまいたちの夜』のような作品こそが先に生まれておかしくはないのだ。

なぜ『弟切草』が誕生したか。実はこれはゲーム開発者からの発想で作られていない。サウンドノベルという従来のコマンド選択型を抜け出したフォーマット、洋館を舞台にした題材などは当時チュンソフトに所属していた麻野一哉（あさのかずや）さんによるものだが、『人造人間キカイダー』、『特捜最前線』といったTVドラマを手掛けた長坂秀佳（ながさかしゅうけい）さんという脚本家が開発に途中から参加した要因が大きい。長坂さんは当時流行していたゲームブックに不満を募らせていた。そして、そのときにマルチストーリーというアイディアを思いつき、『弟切草』に組み込んだのだ。サウンドノベルは一作目から、「間違った答え」という概念がない、物語の集合体のような現在からみても極めて特殊な作品となった。

『弟切草』のループ構造的なもの

この麻野さんと長坂さんの化学反応によって、『弟切草』にはもう一つ生まれた重要な要素がある。それは「ループ構造的なもの」である。『弟切草』はマルチストーリーゆえに、あるエンディングを迎えたあとは最初に戻ってもう一度プレイをすることになる。するとオープニングこそは同じなのだが、描写にわずかな差異があることに気付く。このとき、プレイヤーはまるでデジャヴを体験したような錯覚を感じるだろう。そして最初にプレイしたときとは違う選択肢を選ぶと、ストーリーはまるで違った展開を見せる。

重要なのは、このオープニングの差異の感覚である。『弟切草』はタイムトラベル作品でもなければ、『時をかける少女』のような同じ時間を繰り返すループものの作品ではない。それにもかかわらず、オープニングの重複した描写と差異、そしてマルチストーリー特有の冒頭を何度も繰り返す仕組みによって、まるでプレイヤーは時間をループしているような錯覚を感じてしまう。

もちろん『スーパーマリオ』を筆頭に、幅広いビデオゲームには死んでやり直すという仕組み自体はあり、何度もゲームオーバーになってコンティニューするというのはゲームの根幹に関わる部分である。だが、日本のアドベンチャーゲームの主流の作品、特に堀井雄二さんが作ったアドベンチャーゲームはそのような仕組みにはなっておらず、一周で完結する物語を志向していた。『弟切草』はストーリーを重視しながらも、何度も物語をやり直すこと、そして冒頭にわずかな差異があることで、ループ的な感覚を意図せずに喚起させる作りになっていた。

『かまいたちの夜』のループ構造的なもの

『弟切草』に続くサウンドノベル第二弾『かまいたちの夜』も極めて重要な作品だ。この作品もまた『弟切草』を引き継ぐ形でマルチストーリーを採用しているのだが、『弟切草』とは違った構造があった。それはメインルートの「ミステリー編」があることだ。『かまいたちの夜』は、この「ミステリー編」をクリアしないとマルチストーリーに派生しないのが『弟切草』と違った点だったのだが、真に『かまいたちの夜』が偉大なのはこのマルチストーリーではなく、「ミステリー編」だった。

この「ミステリー編」は山荘で繰り返される連続殺人事件の真相に主人公を導かなければいけない。しかし次々と犠牲者の死体は増え続け、最終的にはアガサ・クリスティの『そして誰もいなくなった』のように、誰一人、生存者はいなくなってしまう。主人公が早々に殺されてしまうパターンもあるが、主人公が終盤まで生き残り、犯人が殺人を成功させるのを見届ければ見届けるほど、犯人に近づける情報が増えていく。そしてこの作品もまた『弟切草』のように、ゲームの冒頭に戻って何度もストーリーを繰り返すのだ。

この作品もまたループものではない。だが、やはり効いているのは第3章で詳しく触れた「プレイヤー」の存在だ。主人公はタイムトラベルしているわけではないが、プレイヤーは殺された状況の記憶を引き継いでいる。登場人物はループしていないが、プレイヤーの意識だけはループしているわけだ。

フローチャートを可視化した『この世の果てで恋を唄う少女YU-NO』

『かまいたちの夜』のプレイヤーはループしているのに、主人公はループしていない、この乖離的な状況を是正しようとすると、主人公もループさせる状況を作ればいい。つまり『かまいたちの夜』の構造は時間もののテーマの物語に行き着くわけだ。

それを最初に行ったフォロワーが、ループものの名作、一九九六年に発売された『この世の果てで恋を唄う少女YU-NO』だろう。このゲームは『かまいたちの夜』のようなフローチャートを可視化したことでも知られている。『弟切草』や『かまいたちの夜』というのは、物語が横に派生していくフローチャート型ではあるが、プレイヤーはそのフローチャートの構造に直接身をおいて体験するしかなく、俯瞰した図像が見えているわけではなかった。『この世の果てで恋を唄う少女YU-NO』はこのフローチャートを可視化した上で、さらにそのフローチャートを自由に行き来できる物語の設定を作っている。本家チュンソフトも、一九九八年に発売したプレイステーションへの移植版『街 ～運命の交差点～』、一九九八年に発売した『かまいたちの夜 特別編』が、フローチャートの可視化を取り入れており、以後、フローチャートを可視化することは、分岐を重視するアドベンチャーゲームではスタンダードな表現になった。

『かまいたちの夜』の「頭の中にフラグを立てる」

僕はオリジナル版『かまいたちの夜』のスタッフとしては携わっていないが、後にゲームボーイアドバンスで発売された移植版『かまいたちの夜 ADVANCE』にスタッフとして参加しており、この『かまいたちの夜』の内部構造を詳しく検証したことがある。そこで本作の「ミステリー編」の特殊性に気付くことができた。

『かまいたちの夜』はエンディングの位置が極めて異質である。ほとんどのゲームは、スタート地点からもっとも遠い場所にエンディングがある。ゲームを隅々まで遊んでもらい、その上でエンディングに到達して欲しいためである。だが『かまいたちの夜』では、エンディングは序盤を少し過ぎたところにある。なんと山荘での殺人が一件も起きない段階で、犯人を捕まえることができるのだ。

さらにこのエンディングはフラグ管理がされていない。本来は、バッドエンドを通過した後に、初めてエンディングのルートが開くフラグが解除されて到達が可能になる仕組みで作られているゲームが多い。ビデオゲームはこうしたスイッチ（フラグ）をどんどんオンにする（フラグを立てる）ことによって、プレイヤーが先のシナリオに進んでいける構造があるわけだ。だが『かまいたちの夜』の場合、理屈の上では、初めてこのゲームを遊んだ人でも序盤を越えたところでエンディングに到達が可能だ。これは今でも珍しい構造といえる。とはいえ正しい選択肢をいくつも選ばなければいけなかったり、犯人の名前を入力しなければならないので、エンディングまでの到達を難易度設定で妨げている。

僕はこの手法を「頭の中にフラグを立てる」と名付けている。プログラム的にフラグを立てているのではなく、プレイヤーの記憶の中にフラグを作っているのだ。この手法を当時同僚だったゲームデザイナーである打越鋼太郎さんに話したところ、打越さんは海外の講演でこの手法を紹介してくれた。また打越さんの作品『ZERO ESCAPE 刻のジレンマ』でこの手法を応用したギミックが登場しているので、チェックしてみてほしい。

『かまいたちの夜2』と『428』の「未来をセーブ」

僕が『弟切草』や『かまいたちの夜』を開発したチュンソフトに二〇〇〇年に入社して思ったのは、とてもプログラマー的な風土がある会社だと感じたことだ。創業者の中村光一さんが八〇年代に天才プログラマーとして名を馳せたことも関係しているのだろう。

一見してサウンドノベルはプログラム的に単純なように思えるが、やはりプログラム的にもチュンソフトの作品は他社とは違う作りになっている。おそらく『かまいたちの夜2』

が最初だと思うが、ここで使われている可視化されたフローチャートは、固定的なフローチャートが徐々に見えてくるのではなく、シナリオが書かれたスクリプトからプログラム的に計算してチャートの画像を生成している。僕はこれを「未来をセーブ」できるシステムと呼んでいる。

たとえば『この世の果てで恋を唄う少女YU-NO』では物語を進めれば、その進捗状況に沿ってもともと作られたフローチャートが見えていく。だが、『かまいたちの夜2』の場合、選択肢を選ぶたびにフローチャートがどのように描かれるのか再計算して出力しているのだ。このシステムは僕が総監督として参加した『428 ～封鎖された渋谷で～』でも取り入れられている。

たとえば昼の二時にAとBという選択肢があり、Aを選び結末A'に到達したとする。結末A'に到達したところ

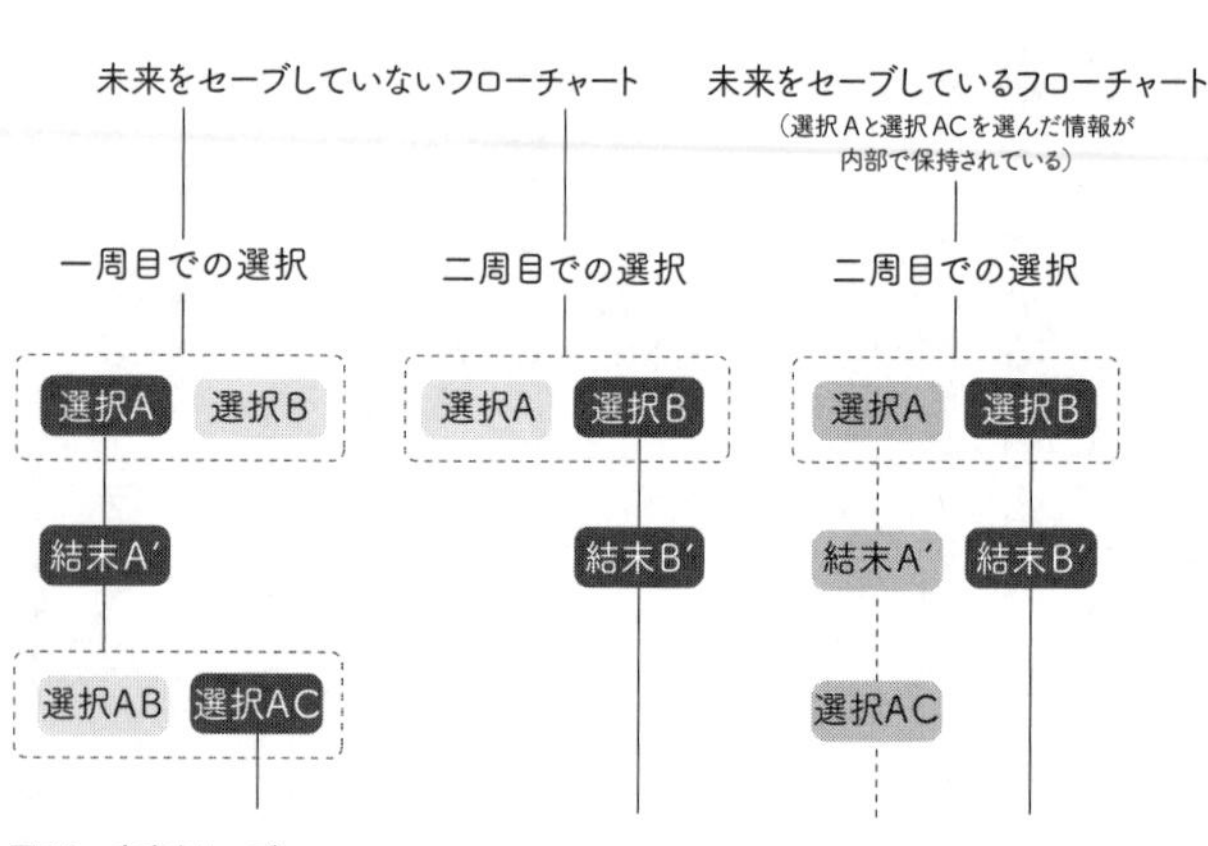

図20　未来をセーブ

で昼の二時に戻り、今度はＢという選択肢をして結末Ｂ'に到達したとしよう。そして、また再び二時に戻りＡの選択肢を選ぶと、どうなるだろうか。普通のゲームだと結末Ｂ'に到達したフローチャートで上書きされてプレイ過程が消えてしまっているので、プレイヤーは結末Ａ'にまた到達しなくてはいけないのだが、チュンソフトのタイトルのフローチャート上では結末Ａ'に到達したプレイ過程が記録されていて結末Ａ'までスキップすることができる。つまり未来の選択肢がセーブされているのだ。

これはシンプルな例で説明したが、二時にＡとＢ、三時にＡＢとＡＣ、ＢＡとＢＢという選択肢があり、それぞれの結末があったとしても同じことだ。個々の選択肢によってフローチャートは再計算されて可視化されることになる。なお、シナリオ上の矛盾、つまり未読の部分があればフローチャートの進捗はそこで止まり、生成されない仕組みになっている。ちなみに『４２８ ～封鎖された渋谷で～』は複数の主人公がいる群像劇なので、もはや多人数視点のタイムトラベル・シミュレータのような、とても構造的に複雑なフローチャートが作られている。

『TIME TRAVELERS』の四次元フローチャート

そうした考えを念頭に、僕自身が開発した『TIME TRAVELERS』では実際にタイムトラベルものを題材に、『428 ～封鎖された渋谷で～』を進化させる意図で四次元フローチャートというものを実験的に行っている。

これは主人公が一人しかいないフローチャートを一次元と捉え、主人公が二人いるフローチャートを二次元、そして主人公が三人以上いるフローチャートを三次元となぞらえている。主人公が三人いるとAとB、BとC、CとAという風に三角錐のようなフローチャートになり、もはや二次元上で描けないので三次元空間が必要になる。ところが『TIME TRAVELERS』のフローチャートは正確に描こうとすると、三次元空間でも描くことができないのだ。

実際の『TIME TRAVELERS』のフローチャートはゲーム中には三次元的に可視化されているが、実はこれは正確ではない。というのもクライマックスに判明するタイムトラベラーの存在があるからだ。このタイムトラベラーは各キャラクターのルートごとに時間と空間を超越して存在しているのがミソである。

具体的にどういうことかというと、キャラA、B、Cが別の場所で、同じ時間軸にいるルートがあるとする。そこで、タイムトラベラーはA⇓B⇓Cという順番に時間軸を移動しているのだ。そこでAの時間軸に存在するタイムトラベラーに干渉したとしよう。その影響はBとCの時間軸の過去、または未来に反映される。Bで干渉するとCだけ、Cでの干渉はどこにも反映されない。タイムトラベラーにとっては、それが最後の時間軸だからだ。過去が未来に影響するという因果律の原則を超えて、未来が過去に影響するという複雑怪奇な状況が生まれる。

こうしたことを反映したフローチャートは、三次元的空間でさえも正確には記述できない。ゆえに僕は四次元フローチャートと呼んでいる。ただ『TIME TRAVELERS』はライトなお客様に向けたわかりやすい作品を目指したため、四次元フローチャートの影響は細かいシーンに関わるくらいで、強烈にストーリーに影響を与えることは控えた。僕自身としても実験的な試みだったが、未来のゲームデザインを予言するように四次元フローチャートは確かにそこに存在している。

フローチャートを縦にした『ひぐらしのなく頃に』、『STEINS;GATE』

こうしたプログラムを駆使したフローチャートの実験とは裏腹に、市場的な支持を得たのは、緻密なフローチャートを使わずに、フローチャートの体験を維持したまま物語を体験させるものだった。これを僕は「横に広がるフローチャートを縦に並べた」と表現している。

『428 〜封鎖された渋谷で〜』は違うが、『かまいたちの夜』などのチュンソフトが開発したフローチャートは横に広がっており、エンディングまでの道を何度も繰り返す構造になっている。この問題点としては、真のエンディングまで、各ルートごとのエンディングを繰り返すので人によってはゲームが短いものと感じてしまうこと、さらにすべてのエンディングをプレイするのが大変なことだろう。実際、『かまいたちの夜』の各シリーズのすべてのエンディングをコンプリートした人は稀だろう。

もう一つの問題点が、何度もループしてストーリーを繰り返すので重複部分が気になってくるところだ。その

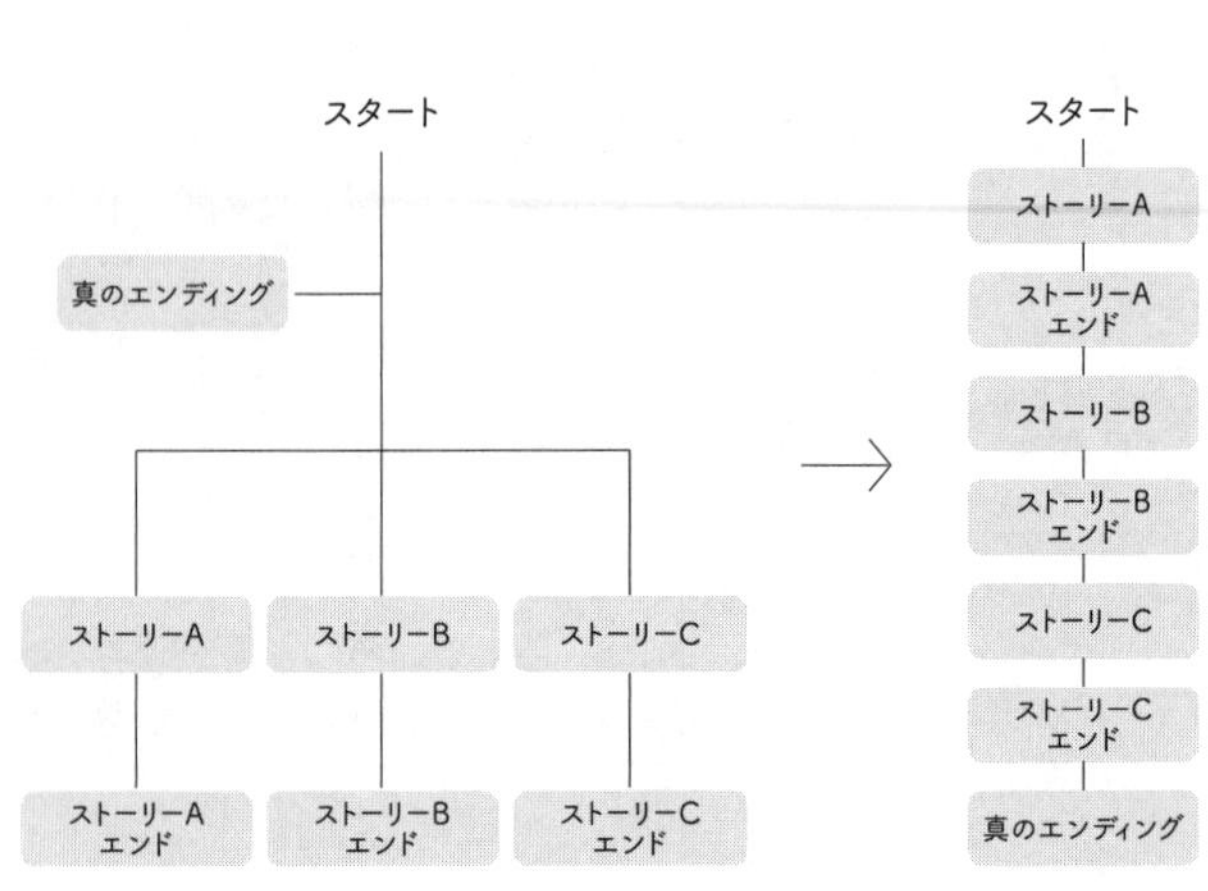

図21　縦に並べたフローチャート

ため既読テキストのスキップ機能やフローチャートから直接スキップできる機能が開発されたが、それでも何度も同じシーンやテキストを読むのを煩わしいと感じた人が多いことは否定できない。

それを解決したのが、『ひぐらしのなく頃に』や『STEINS;GATE』のようなフローチャートを縦に並べた構造だ。これは従来なら横に広がっているフローチャートを、すべて縦に並べたことで、直線的な流れに沿ったまま開発者が特に見せたいストーリー展開やエンディングをプレイヤーに体験させるというものである。こうした構造を採用することによって、ループ構造のストーリーをよりプレイヤーにわかりやすく訴えかけることができるようになった。たとえばチュンソフトのようなフローチャートのシステムと絡めたループ構造だと、どのルートに行くかはプレイヤーの裁量に任されているため、ある程度のプレイの工夫が必要だ。しかし、この縦の構造だと開発者が説明したい順番にループもののストーリーを描きつつ、本来はフローチャートがあるかのようなループ体験をプレイヤーは味わうことができる。

ただしこうしたことの問題点は、『弟切草』や『かまいたちの夜』の発明をプレイ動画的に消費してしまうデメリットがあることだ。『ひぐらしのなく頃に』と『STEINS;GATE』も、アニメ版がとても評価が高いが、これはまさにフローチャートの体験を直線的に置き換えているので、アニメの脚本として翻訳しやすいことが要因としてあるように思える。こうした作品はプレイヤーの介在やゲームシステムが不要であることを、ある意味で証明してしまっている。それはゲームデザインの敗北でもあるだろう。逆にいうと『弟切草』や『かまいたちの夜』はアニメ化が極めて難しい。あれはまさにビデオゲームでしか味わえない固有の体験だからだ。

世界に発信されたビデオゲーム的な物語構造

こうしたゲームが生み出したストーリーテリングの実験は、二〇〇〇年代以降には大きな潮流となり、ビデオゲームを超えた映像や小説などの他のメディアにも波及し、多くの傑作を生み出した。虚淵玄（うろぶちげん）さんや麻枝准（まえだじゅん）さんといった、ゲーム会社に所属していたシナリオライターたちが、フローチャート的な考え方を応用してオリジナルアニメのシナリオに取り入れている。その中でも虚淵玄さんのアニメ『魔法少女まどか☆マギカ』の大ヒットは、当時大きな話題を作った。

ループものの小説はライトノベルを中心に数多くあるが、もっとも成功したのは桜坂洋さんの小説『All You Need Is Kill』である。これは僕も感銘を受けたゲームでもある『高（こう）機動幻想（きどうげんそう）ガンパレード・マーチ』から間接的に着想を得て執筆されたものだ。『All You Need Is Kill』はトム・クルーズ主演の映画『オール・ユー・ニード・イズ・キル』として映画化され、世界中で大ヒットを記録した。まさにこの映画は、ループもののフローチャートを縦型にしたストーリーのお手本のような作品といえるだろう。

興味深い作品としては、二〇一六年の海外ドラマ『ウエストワールド』がある。これは日本のアドベンチャーゲームの文脈ではないところから、ループものに行き着いている。もともとはＳＦ作家のマイケル・クライトンの小説を原作としており、一九七三年に同名で映画化されたことがある。その時点では未来世界のテーマパークで働くＡＩの反乱を描いたものだったが、二〇一六年のドラマ版ではビデオゲームの文脈がふんだんに使われている。『ウエストワールド』が影響を受けたものは、『The Elder Scrolls V: Skyrim』、『レッド・デッド・リデンプション』、『バイオショック』だという。＊5『The Elder Scrolls V: Skyrim』

＊5 GameSpark：HBO新作ドラマ「Westworld」クリエイターが『Skyrim』『RDR』『BioShock』から受けた影響とは
https://www.gamespark.jp/article/2016/10/05/69085.html

はその世界に住むキャラクターたちの生態系すら表現する方向性のゲーム、『バイオショック』は主人公とプレイヤーの関係性を問うゲームであり、ここからループものやメタフィクションに近いテーマに行き着いたのだろう。

幻の企画『THE END OF THE WORLD』

僕は九〇年代の後半、本格的にループものやメタフィクションものが流行する前に、横に広がるフローチャート構造のアドベンチャーゲームを企画していたことがある。それは一九九七年に書いた企画書『THE END OF THE WORLD』というもので、キャラクターの設定とデザイン、シナリオ、絵コンテ、レイアウトまで書き上げている。これは同時にセカイ系の特徴も持っており、トゥルーエンド構造もあった。僕はこの企画書を片手にチュンソフトの門を叩いたのだ。結局、『THE END OF THE WORLD』は実現はできず、実現ができなかったからこそ『3年B組金八先生 伝説の教壇に立て！』と『428 〜封鎖された渋谷で〜』と

図22 『THE END OF THE WORLD』の企画書の表紙

いう作品を作れたのである。その点においては後悔はしていないのだが、二〇〇〇年代にループもの、メタフィクション、トゥルーエンド、セカイ系という特徴を持つようなアドベンチャーゲームが隆盛したのを横目にみていて、自分の感覚は間違っていなかったのだと複雑な感情を抱いていたことは確かだ。特に『ひぐらしのなく頃に』のループ構造を目撃したとき、『THE END OF THE WORLD』を作品化する役割はもう終わったのだと感じた。そういうわけで僕にとっては思い出深い企画書である。

『THE END OF THE WORLD』はどのような企画か

では『THE END OF THE WORLD』はどのような企画、プロットだったのか紹介してみよう。

彗星が地球に接近しておりその彗星の尾のガスが地球を包み込み、地球が一週間後に滅亡することが確定している終末ものの世界が舞台だ。世界の大都市ではパニックや暴動、戦争が起きているが、日本のほとんどは諦めムードなのか何事もないか

THE END OF THE WORLD

ターゲット

美少女ゲームユーザー（20代男性中心）

ゲームスタイル

アドベンチャーゲーム
主人公の主観を中心としたテキスト&ビジュアルアドベンチャー
+
キャラクター（ヒロイン）のアニメーション&音声による演出

商品スタイル

家庭用ゲーム機　SONY PLAY STATION
(Windows95・98)版CD-ROM同時発売も可能)

発売時期

99年夏（6月末）

Brand new ADV GAME for Play Station

図23 『THE END OF THE WORLD』の企画書の概要

のように日常を繰り返している。

主人公は大学生、あるいは社会人になったばかりの青年（それくらいの年齢の幅で設定していた）。その主人公のもとに一通の手紙が届く。それは高校時代に付き合っていた後輩からの「死ぬ前にもう一度会いたい」という内容の手紙だ。主人公はこの手紙を片手に、彼女の住む街へと旅立ち、旅の途中で高校時代の思い出を回想していく。

この作品は二重構造になっており、七日間で描かれる主人公の高校時代の思い出の過去編、世界最後の七日間が描かれる現在編が絡まって構成されている。過去と現在のどちらにも選択肢があるのだが、基本的にメインストーリーとして分岐していくのは過去編である。

プレイヤーは、これらの七日間を三周し、三人の

THE END OF THE WORLD

キャラクターとストーリーI ～主人公の思い出に登場するキャラクターと物語～

●片寄亜美

主人公の親友、英樹の幼なじみ。遠野圭の親友でもある。
ハキハキと喋る元気な妹タイプで、実際に英樹を兄のように「英ちゃん」と慕う。
小学校時代に両親が離婚しており、実兄とは離れ離れにになっている。
主人公に兄の面影を見て陰ながら慕っていた。
その想いを主人公に告白するが、その後、英樹からの告白を受け悩む。

●遠野圭

亜美の親友。亜美シナリオでは亜美の告白を遠くから応援しているように見える。
物静かな少女で飛び切りの美人だが、学校では目立っていない。
実は難病で主人公の転校の日、大きな移植手術を控えている。
「亜美・涼子シナリオ」ではその事に気を病み、主人公への想いを告白しないが、
「圭シナリオ」においては思い悩んだ末、主人公への想いを打ち明ける。

●常磐涼子（フィル・りょうこ・ベイリ）

気の強い生意気な美少女。
ブルーの瞳と茶色い髪（金髪っぽい）のクオーターで、
小学校から中学の途中までをアメリカで過ごしていた帰国子女。
目立つ容姿や日本語より英語が得意等の理由で学校内では孤立している。
主人公と小学校時代近所に住んでいた事があり、
その時の思い出を今も大切にしている。

●松田英樹

主人公の親友。性格的には単純でさっぱりしたタイプで、
人を疑ったり裏読みをしない。
亜美のことを昔から想っており、物語中想いを告白する。
亜美が裏で主人公に想いを寄せ合っているなど疑いもしない。

図 24　THE END OF THE WORLD』の企画書のキャラクターとストーリー紹介

メインヒロインを攻略する構成になっている。その点で『かまいたちの夜』や『この世の果てで恋を唄う少女YU-NO』というよりも、後に発売される『Fate/stay night』に近い構造で、ヒロインをA⇓B⇓Cという順番で固定的に攻略していくスタイルである。そして現在で最終的に出会うヒロインは最初から決定しているわけではなく、過去の選択肢によって変化していく。

まずヒロインAのストーリーだが、高校時代の過去編では、友情を取るか恋人を取るかというストーリーで、最終的に主人公は親友を裏切って好きな後輩の告白を受け入れる。主人公とヒロインAは付き合うこととなったものの、その結果、親友は事故死。その親友の死をきっかけに主人公とヒロインAはそれぞれ自分たちの行動が許せなくなってしまい、お互いに別れることを決意する。現在編ではそのヒロインAと再会して、ともに世界の最後を見届けることになる。

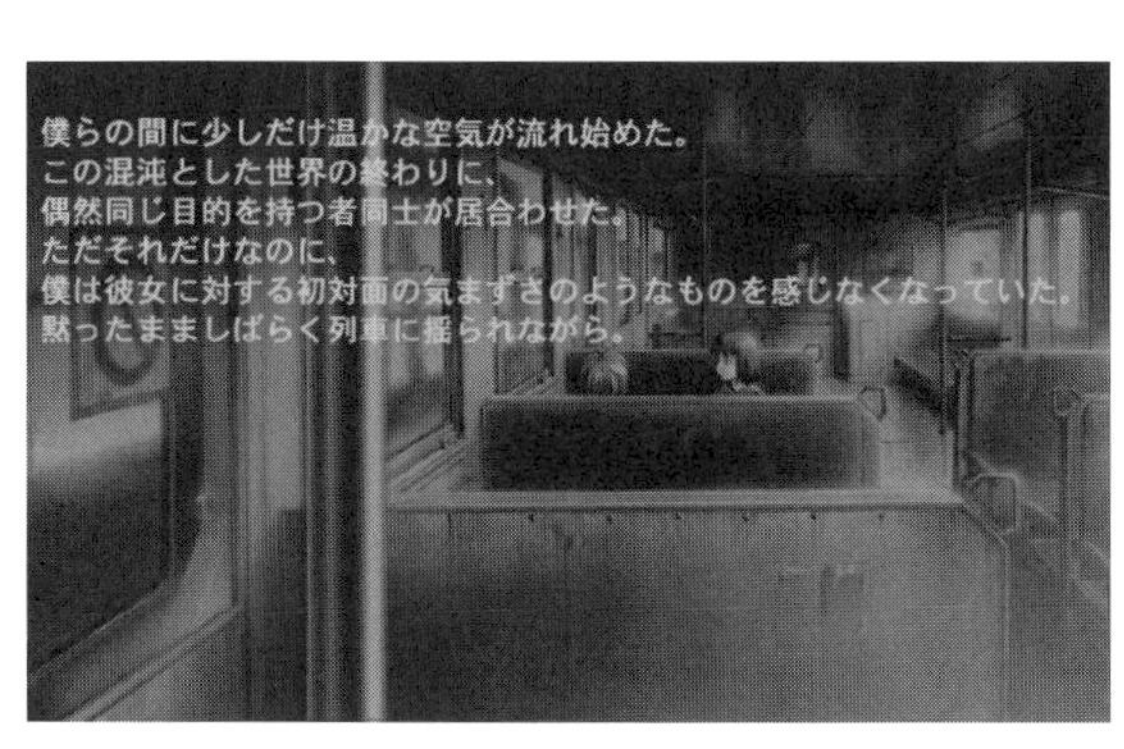

図25 『THE END OF THE WORLD』の企画書のノベルゲーム画面のイメージ

さてヒロインAのストーリーを終えると、ヒロインBルートが解放される。しかし解放されるだけで、二周目のヒロインAルートに再び行くことも可能だ。この二周目A'ルートは、結末自体はほぼ同じなのだが、途中で微妙な差異が生まれてくる。主人公との最初のデートシーンで、ヒロインAは、なぜか「でも○○くん（親友の名前）は死ぬじゃない」と親友がこれから事故死することを知っているかのような描写が入るのだ。これはニュアンスとしては、親友が死ぬのは運命なのだから、私たちはどうしても親友を裏切ってしまう、といった意味合いで言っている。なぜこのようなループ的な描写を入れたのかというと、キャラクターが勝手に動き出して口走ったとしか説明のしようがない。当時の僕もキャラクターがメタなセリフを急に言い出したので、驚いたくらいである。

次にヒロインBだが、こちらは大きな仕掛けはなく、どちらかというとヒロインCに連動したものとなっている。だがシナリオ的にはヘビーな題材で、ヒロインBは援助交際に近いような大人たちを騙（だま）してギリギリの中で生活をしており、そのせいで高校の中で偏見を持たれている。その中で同級生が主人公に対して「ヒロインBにお金を出したら、付き合ってくれるぜ」とそそのかす。それが結果的に出会いのきっかけとなり、主人公はヒロインAではなくヒロインBに惹かれていく。そして二人は付き合うことにはなるのだが、終盤ではヒロインBは自分の秘密を知られたくないがゆえに、主人公と別れることになる。最終的に現在編で再会して、世界の滅亡を見届ける。

そして最後のヒロインCだが、このキャラクターはAルートにもBルートにもほとんど登場しないどころか、現在編にも登場しない。実は病院に入院しており、その過去編において死んでしまうからだ。そしてこのヒロインCの二周目で発覚する真実は、ヒロインBに対する悪い噂をバラまいた張本人であり、さらに主人公の親友が事故死するとき、救える立場にいたのに見殺しにした人物だということである。これは現在的にいうとヤンデレ(精神的に病んでいるヒロイン)に近いキャラクターといえるかもしれない。ヒロインCは主人公のことが好きなのだが、なぜ自分だけがこの世界で死ななければならないのかを自覚しており、そのため主人公に振り向いて欲しいがために、ヒロインA、ヒロインBに対してバッドエンドのルートを辿るような行動を仕掛けている。こういったヒロインCの思惑は、ヒロインCの二周目において判明するのであって、一周目はわからないものとなっている。こういった構造はメタフィクションとヤンデレを組み合わせていた『君と彼女と彼女の恋。』に近いものがあるかもしれない。そして現在編では主人公はヒロインCの墓参りをして幕を閉じることになる。

『THE END OF THE WORLD』の結末

こういった純愛に近いヒロインA、B、Cの一周目と、その裏にはヒロインCの情念が渦巻いた画策があるのが二周目で判明するという構造を取ったのは、この世界がコンフリクトしている構図が徐々に見えてくることを表現したかったからだ。つまりヒロインたちはそれぞれプレイヤーに「私を選んで欲しい」が、この世界では誰か一人しか選ばれない矛盾に苦しんでいるわけだ。ここには僕なりのアドベンチャーゲームにおける「分岐批判」のような意図が込められている。そういった分岐批判を超える物語が提示されるのが、最終的なエンディングのルートである。

このルートへの分岐は、主人公が旅立つため電車に乗っているオープニングシーンにある。各ヒロインの二周目を含めたすべてのルートを通っていた場合、オープニングに選択肢が増えているのだ。通常ならば電車に乗り続ける展開なのだが、その〝ある〟選択肢を選んだ場合、電車を降りることができて、博士というキャラクターと出会うことになる。この博士は主人公に対して、突然「お前が世界を救え」と単刀直入に説明をしてくる。実はこの博士はこの世界がループしていることに気付いており、この世界の構造を救える存在をずっと探していたのだ。その存在こそが、この世界をループさせることを選んでいる、主人公でありプレイヤーなのである。

　主人公が博士に連れられて南極まで辿り着くと、その南極には博士の主導で人類が秘密裏に開発していたロケットエンジンが設置されている。そのロケットエンジンは地球自体を移動させ、彗星を回避できる代物なのだ。だが、この世界の構造としてスイッチを押してロケットに着火できるのは世界のループを拒否することを決断した主人公だけなのだ。こうして主人公がロケットを起動させると、南極の永久凍土は溶けてしまい、舞台となっていた高校や街は海の底に沈む。

　だが、この選択は地球を救う代わりに、各ヒロインのルートを体験しないという決断を主人公はしたということだ。そして、それは主人公とプレイヤーが過去を回想し、このゲームの世界を認識しなければ、ヒロインたちがこのゲーム世界の中で生き続けることを意味する。入り口にエンディングがあることは、ゲームの世界の否定であり、自分の思い出を全部海の底に沈めることなのだ。だからスイッチを押すことで、すべてのセーブデータは物理的に消えてしまう。主人公は最後、海に沈んだ街を見に行くが、そこでプレイヤーはさまざまなヒロインの中から出会いたいヒロインを一人選ぶことができる。これは僕の中では死んだはずのヒロインCであることもあり得ると考えている。その時点は過去を確定していないので、ヒロインCは生きていることがあり得るのだ。

そして現れたヒロインは「あなたがこの世界を捨てたからこそ私たちに未来が広がっている」と告げる。つまりあなたが物語に介入することを止めたから物語は永遠に広がっている、というメッセージが込められたエンディングである。

九〇年代の同時代的な感性

ループものの潮流は二〇〇九年の『STEINS;GATE』、二〇一一年のアニメ『魔法少女まどか☆マギカ』で頂点に達することになる。僕自身も九〇年代後半にこのようにループものの発想をしていたわけだが、なにも特別だったといいたいわけではない。というのも、ループものやメタフィクションは二〇〇〇年代ほどではないにしろ、九〇年代にも少なからずあったからだ。ループ的な要素が『弟切草』と『かまいたちの夜』にあったことは述べた通りだが、SFとしてループものを題材にした作品として『DESIRE 背徳の螺旋』、『この世の果てで恋を唄う少女YU-NO』、『Prismaticallization』があった。二〇〇〇年の作品だが打越鋼太郎さんの『infinity』が発売されている。また『ドラゴンクエスト』のパロディマンガ、パロディ作品を筆頭に、ゲームをメタフィクション的に捉える感性はあった。『かまいたちの夜』のルート「鎌井達の夜」は完全にメタフィクションだった。

　僕はその当時、これらに挙げたゲームは『かまいたちの夜』を含めてプレイしていなかったし、詳細も知らなかった。それでも『THE END OF THE WORLD』でループもの、メタフィクション、トゥルーエンド、セカイ系といった二〇〇〇年代の特徴的な物語に辿り着いていたのは、やはり同時代的な感性が働いていたのだと思う。

　今、改めて『THE END OF THE WORLD』を自分なりに考察すると、『雫』と『痕』を口コミで知っていたこと、『センチメンタルグラフティ』、『トゥルー・ラブストーリー』、『久遠の絆』をプレイしていたこと、世界観においては、阪神・淡路大震災の経験と映画『妖星ゴラス』、新井素子さんの小説『ひとめあなたに…』の特に裏表紙のあらすじから強い影響を受けたと思う。一九九九年に世界が終わるという「ノストラダムスの大予言」という、あの時代特有の潜在的なテーマも無視できない。そしてあの時代、誰しも感化されたアニメ『新世紀エヴァンゲリオン』の存在もある。僕はこのあたりから直接的、間接的に影響を受けてこの企画を作り上げたのだと思う。

バッドエンド、グッドエンド、ベストエンドとは

アドベンチャーゲームに馴染みがある人ならば、この『THE END OF THE WORLD』がトゥルーエンドの構造を持っていることがわかるだろう。ゲームのエンディングは複数の言い方がある。バッドエンド、グッドエンド、ベストエンド、トゥルーエンドという四種類が一般的だろう。その中で興味深いのがトゥルーエンドだが、それを理解する上でまずはそれ以外のエンディングを整理してみよう。

まずバッドエンドという言葉は、しばしばゲームオーバーと混同されるし、実際にゲームオーバー的な意味合いで使われるゲームもある。だが、『スーパーマリオブラザーズ』で敵にやられて攻略に失敗したとき、ゲームオーバーという言葉は使うが、あまりバッドエンドとはいわない。どちらかというと、物語的な必然性が強い失敗や破滅のときにバッドエンドという言葉を使うほうがより本質を捉えている。またバッドエンドは実際には物語的なエンディングではなく、仮設的なもの、あくまでグッドエンドという前提がある状態が想定されている。グッドエンドに至る途中の破滅的な展開を指してバッドエンドと呼ばれる場合が多い。

次にグッドエンドとベストエンド。これは意味合いとして正解や攻略の先に辿り着いた

エンディングである。ベストエンドはグッドエンドの上位概念、複数あるグッドエンドの中のもっとも良いエンディングがベストエンドと捉えるといいだろう。これらは物語的にも結末を意味する場合があるのだが、もしもトゥルーエンドが組み込まれていたとしたら、ベストエンドは真のエンディングではないことになる。

トゥルーエンドとは何か

では最後にトゥルーエンドとは何だろう。これはもともと名称としては『弟切草』、『かまいたちの夜』のフォロワーである『雫』や『痕』というノベルゲームが使いはじめたものだ。しかし『雫』や『痕』で示されているトゥルーエンドはどういうものかというと、実はベストエンドのことなのである。ベストエンドをベストエンドと呼ばずに、トゥルーエンドと言い換えているのである。

だが、トゥルーエンドは二〇〇〇年代の中頃あたりから意味合いが違ってきており、しばしばグランド・フィナーレとも形容される。僕としても、そちらの意味合いのほうがアドベンチャーゲームとして興味深く、一種の発明だと認識している。

ではトゥルーエンド、グランド・フィナーレとは何か。これを僕なりに言語化すると、複数のあらゆるエンディングを一つにまとめて、矛盾なく救済するというエンディングのことである。グッドエンドとバッドエンドというのはお互いにコンフリクト、あるいはキャラクターのルート同士がコンフリクトしている場合がある。たとえば『THE END OF THE WORLD』でもキャラクタールートだけを取り出すと、ヒロインAと結ばれると、ヒロインBとヒロインCは救われないというメタな構造を抱えている。

アドベンチャーゲームはキャラクターごとに物語を描き分けたとき、この大きな枠組みでの矛盾を抱えてしまった。これらのヒロインを一挙に救える方法がないかと発明されたのがグランド・フィナーレ構造であり、トゥルーエンドと呼ばれているものだ。

『かまいたちの夜2』のトゥルーエンド

そういう意味では『THE END OF THE WORLD』は、トゥルーエンドという概念がはっきりしていなかった段階で、かなりトゥルーエンド的な構造を持っているので、先駆的な発想だったのかもしれない。すべてのヒロインを救済するために、そもそも主人公が出会わないことによってその救済を果たすというのは、トゥルーエンドのある意味で典型的な形といえる。

その中で僕がすごいと思ったのは『かまいたちの夜2』のシナリオの一つ、「妄想編」だ。これは前作『かまいたちの夜』の犯人は実は主人公であり、『かまいたちの夜2』で描かれていることは、その『かまいたちの夜』の時点での正気を失った主人公が妄想していると いう内容なのである。これは『かまいたちの夜2』のあらゆるエンディングの矛盾をなくしているばかりか、『かまいたちの夜』のあらゆるエンディングすらも包括している。僕がプロデューサーとして参加した『忌火起草（いまびきそう）』の真のエンディングもここから着想を得ている。

悲劇を描くことが難しいゲーム

これを逆転させて考えてみよう。悲劇で終わる、つまりバッドエンドこそが真のエンディングの場合、プレイヤーは納得してくれるだろうか。悲劇をバッドエンドと呼ぶこと自体、違和感を覚える人もいるかもしれない。古代ギリシャ演劇やシェイクスピアで描かれた悲劇というのは、運命的で破局的なエンディングであり、グッドエンドとの対比を前提にはしていない。実はこうした悲劇を描くことこそがゲームにおいて極めて難しい。

『弟切草』、『かまいたちの夜』をはじめとした、物語にさまざまな選択肢がある分岐構造を持つゲームにはある前提がある。第3章で、ゲームにおける主人公のセントラル・クエスチョンは「生き残るかどうか」と触れたが、これは言い換えるとゲームは「正解と不正解」という物語の仕組みで成り立っているということだ。正解と不正解という選択肢の中で、正解を選ぶことによってゲームが進むという構造があるわけである。そしてこのことによってゲームの物語には実は悲劇が描けないという問題が横たわっている。悲劇というのは生き残らないという選択肢が、正解という逆説的な構造を持っているからだ。

ＲＰＧには「負けイベント」というものがある。主人公の前に絶対に倒せない強敵を設定して、プレイヤーが努力しても敵を絶対に倒せない状況を作るものだ。そして主人公は死んだり、瀕死になったりして、物語は進んでいく。だが、これはゲームとしてフェアな仕組みにはなっていない。物語による強制的な演出でしかないわけだ。

物語的な悲劇ではなく、ゲーム的な仕組みで悲劇ができるのか、これがとても難しい問題として横たわっている。たとえばシェイクスピアの悲劇をゲームにしたときに、『ロミオとジュリエット』だと死なないで結ばれるというハッピーエンドになってしまう。繰り返すが、正解と不正解という選択肢がある中で、プレイヤーが正解を選び続けることがゲームの構造だからである。ゲームで悲劇は描けないのだろうか？

悲劇を描いた『HEAVY RAIN 心の軋むとき』

僕がこの点から高く評価したいのが『HEAVY RAIN 心の軋むとき』である。フランスに拠点を置くクアンティック・ドリームという会社の代表であるデヴィッド・ケイジ氏が開発を主導しており、日本的なアドベンチャーゲームと比較すると、大変異質な発想で作られている。このゲームは第2章でも言及したが、改めて紹介したい。

このゲームはさまざまなアクションに、たとえば日常的なことを含めて、ちょっとしたボタン操作が要求される。たとえばゲーム冒頭に出てくる電気シェーバーでヒゲを剃るシーンがある。まずこの段階からちょっと奇妙で、普通のゲームならばヒゲを剃ることを操作させようとしない。このゲームでは、それをコントローラーの微妙なスティックの押し込み具合でヒゲを剃らせようとするのだ（しかもこういったことができるというだけで、物語には一切関係がない）。こういったことは一例で、ソファーに座る、物を取るにしても、その動作と連動しているようなスティック操作やボタン操作が求められる。

最初はこの特殊な操作には慣れないのだが、序盤を過ぎてこのキャラクター操作が慣れた後に何が描かれるかというと、徹底的に主人公が痛めつけられるストーリーである。主人公は二人の息子を持つ父親なのだが、長男は交通事故で死去してトラウマになっており、離婚した上に次男との関係は上手くいっていない。そんな中で次男は世間を騒がす誘拐犯によって連れ去られる。しかも刑事は主人公を犯人ではないかと疑いの眼で見ており、主人公のもとには犯人から徹底的に理不尽な要求が届く。第2章で紹介した指を切るシーンもその中の一つだ。

実際のところこの作品は群像劇であり、この父親は主人公の中の一人である。前述した指を切るシーンも驚いたが、僕がもう一つ驚いたのは刑事が主人公のシーンだ。刑事が容疑者の家に踏み込み、銃を構えながら容疑者と対峙するのだが、手をあげている容疑者の動きが不穏である。何かを取り出すかもしれない。その動きに警戒しながらシーンが推移していくと、容疑者が何かを取り出そうとする。その瞬間、思わずボタンを押して銃を撃ってしまい容疑者を射殺してしまった。だが、容疑者が取り出そうとしたものは凶器でも何でもなかったのだ。

第2章で言及したように、このゲームはあらゆる選択肢を認めている。容疑者が動いたとき、銃を撃つという選択肢があっても何もボタンを押さなければいいわけである。しかし僕は慌ててしまい、どうしても押してしまった。序盤にあれだけ奇妙なボタンを押す操作を教え込まれた上で、「押さない」という選択肢を提示しているわけだ。巧妙に仕組まれているとはいえ、これはプレイヤー側の責任によって生まれてきた悲劇だ。ゲーム的に納得ができるのである。

このゲームはあらゆる選択肢を認めているので、さまざまなエンディングが等しい価値を持っていると解釈ができる。実際のところ、このあたりは『弟切草』ほど完全には上手くはいっていないのではないかと個人的には思っている。だが『弟切草』のように、あらゆるエンディングや選択肢を等しい価値に置きつつ、プレイヤーの責任において不正解かのような選択肢を選んでしまう仕組みを作っているわけだ。これは、ビデオゲームでも悲劇を描ける可能性を示した作品といえるだろう。なお僕が開発した『Little Lovers SHE SO GAME』も、僕なりに悲劇をゲームで描くことはできるのかに挑戦したゲームである。これについては後で詳しく述べたい。

なお、デヴィッド・ケイジ氏の現時点での最新作『Detroit: Become Human』は、どちらかというとエンディングを等しい価値に置いていない『かまいたちの夜』型のように僕は思えた。そういう意味で『弟切草』、『かまいたちの夜』という日本のノベルゲームをなぞるような動きをしている。デヴィッド・ケイジ氏の次回作は、ループものやメタフィクション、トゥルーエンド構造のアドベンチャーゲームになるのか、それともまったく違うものになるのか楽しみである。

未来のストーリーテリング

さて、ここまでストーリーのノウハウ、ミステリーとゲームの分析、『弟切草』や『かまいたちの夜』に見られるアドベンチャーゲームの構造を述べてきた。だが遠くない将来、AIがストーリーを紡ぎ出したらストーリーはどのように変化するのか。あらゆるノウハウがAIによって吸収されたとき、「ドラマを発生させる装置」という観点が重要になってくると考えている。九〇年代、僕はシミュレーションゲームにその可能性を感じており、このジャンルでは悲劇をプレイヤーに納得させて描くことができると実感していた。

これまで述べてきたストーリーのノウハウ、アドベンチャーゲームの構造、そしてシミュレーションゲームの仕組みを統合させなければならない。そしてそれをAIによって紡がせることができれば、ストーリーテリングを新たな次元にステップアップさせることができるだろう。

AIによる物語の生成

AIによって物語が紡ぎ出されている。二〇一六年に有嶺雷太さんの小説『コンピュータが小説を書く日』が星新一賞の一次審査を通過した。受賞は逃したものの、この有嶺雷太の正体はAIであった。『コンピュータが小説を書く日』は僕の人狼ゲーム仲間である東京大学の鳥海不二夫准教授がプロジェクトリーダーを務める「人狼知能プロジェクト」から生まれたものだ。また二〇二〇年には『ぱいどん』というマンガが、週刊マンガ雑誌『モーニング』に掲載されて反響を呼んだ。これはAIによる手塚治虫の新作という触れ込みであった。

『コンピュータが小説を書く日』は長編小説ではなく、ショートショートだ。このAIによる技術的な真骨頂はストーリーやドラマを生成するというよりも、事前の設定に基づいて人が自然に読めるくらいの違和感がないテキストを生成することにあった。『ぱいどん』は、基礎的な世界観やキャラクター設定、そしてプロットとキャラクターデザインをAIが担当している。ストーリーの肉付け部分、セリフ、キャラクターデザインを除いた作画などの作業は人間が担当している（なおAIが担当したプロットは三幕構成で書かれている）。すなわち『ぱいどん』はストーリーのゼロイチ、『コンピュータが小説を書く日』はストーリーのイチヒャクに関して取り組んだ試みといえそうだ。

ＡＩによる物語生成はまだまだ課題が多く、ＡＩは文脈の理解のようなものが難しいことはよく指摘される。もしかしたら人間の手を借りずにＡＩが物語を紡ぐことには、シンギュラリティを超えないと到達できないのかもしれない。『コンピュータが小説を書く日』も『ぱいどん』も課題は多く、ＡＩで物語を生成するならば、さまざまな物語をデータベースとして取り入れた上で、さらに15のビートや感情曲線などノウハウに基づいて物語を成形して出力していく仕組みが必要だろう。

だが、物語のゼロイチからイチヒャクまで、すべてがすべてをＡＩが描き出すのではない仕組みで、物語を紡げたらどうか。ＡＩが苦手とする部分を人間の想像力が補うことがシステムに組み込まれていたら、ＡＩによる物語の生成がもっと現実味を帯びるのではないだろうか。

シミュレーションゲームの可能性

この人間の想像力を補うという観点において、僕は九〇年代のシミュレーションゲームにおけるストーリーテリングにとても可能性を感じていた。『ダービースタリオン』、『ときめきメモリアル』に夢中になるほどハマったし、現在ではあまり知られていないが『AQUAZONE』という画期的なゲームからも強い影響を受けた。

僕の代表作が一般的には『428 〜封鎖された渋谷で〜』であることや、現在の主な仕事が世界観監修やストーリー構成ということもあり、このことは意外に思われるかもしれない。僕が九〇年代にビデオゲームの特徴で関心があった理由は、ストーリーや世界観ではなく、システムが生み出すストーリーテリングのほうだった。

シミュレーションゲームのストーリーテリングへの関心は、九〇年代のビデオゲーム業界の空気感としてもあったし、各自がその可能性を感じて切磋琢磨していたように思う。僕の作品だと『Little Lovers』シリーズはそこに感じた無限の可能性を求めて開発したものだ。

AIによって物語が紡がれていく時代が現実味を帯びはじめているとき、九〇年代のシミュレーションゲームによるストーリーテリングを改めて見直すことは大切だと思う。現在ではシミュレーションゲームにおけるストーリーテリングの文脈が忘れ去られつつあるように思う。本章ではそういった僕の個人的なシミュレーションゲーム観を挟みつつ、未来に待っているストーリーについて考えてみたい。

人間はデータに涙することができる

「シミュレーションゲーム」と一口にいっても、『信長の野望』のような戦国時代を舞台にした戦略シミュレーション、『シムシティ』のような都市開発シミュレーション、『ザ・コンビニ』のような経営シミュレーションなどさまざまあるが、僕が今回取り上げたいのは、プレイヤーとキャラクターが寄り添うようなコミュニケーション要素が強いシミュレーションゲームだ。

その中でも、僕が思い出深いのが競馬シミュレーションゲームの代表作『ダービースタリオン』である。プレイヤーは馬主と調教師になって、馬を育成して競馬に出走させる。最終的にはその馬から子馬を出産させて、再び育成に励みながらGⅠの全制覇(ぜんせいは)を目指す。そうした過程を楽しむゲームなのだが、注目すべきは手塩にかけた馬の死を見届けなくてはいけないことだ。

馬が死んだとき、これまでの生涯や戦績が「〇〇の息子として生まれる」、「〇歳でデビュー」、「〇〇戦で〇位」、「〇〇戦で優勝」といったようにエンドクレジットみたいなものが流れる(『ダービースタリオン2』)。当時、僕はこのクレジットにとても感動したことを覚えている。馬が死んだときの喪失感を覚えて泣けるのだ。『ダービースタリオン』は馬たちと交流を描くようなドラマパートがあるわけではない。あくまでデータ上の原因と結果、入力と出力だけのゲームだ。喪失感の正体は、僕自身の心がデータとデータの間の空白に感情移入をしているわけだ。

僕はこのゲームに出合うまで、ビデオゲームに映画的な表現の可能性をみていた。八〇年代後半に作った僕のデビュー作『イミテーションシティ』は、映画『ブレードランナー』から影響を受けている。この作品の開発事情でゲーム業界に一度失望して去っていたわけだが、その後、一九九一年に発売された『スペースシップワーロック』の衝撃を受けて再びゲーム業界に復帰を決めたのも、いよいよゲームの映像表現が映画並に近づきつつあると感じたからだ。

だがそれらはあくまでゲームを通した映画の劣化表現的なもので、『ダービースタリオン』で経験した僕の感動とは明らかに違う。人間の想像力がドラマを補完しており、映画とはまったく違う体験がそこにはあったからだ。それ以来僕の中でビデオゲームの認識が変わってしまったのだ。

故・大林宣彦（おおばやしのぶひこ）監督の言葉

後年、僕は敬愛する映画監督の大林宣彦監督と対談をしたことがある。大林監督がいうには、TVと映画が違うのは、映画は実は闇をみていることだという。映画のフィルムは秒間二四コマの中でシャッターで隠している闇の部分がある。映画は一秒間のうち五／九秒は画像が映っていて、四／九秒は画像が映っていない。だから九〇分の映画でも画像が映っているのはトータルでたった五〇分しかない。フィルムで映画を見ると、映像がチラついて見えるのはそのためだ。ところがその闇の部分は残像でほとんど気にならない。人間は前の絵と後の絵の差をみており、その差の中で起こっている絵を暗闇の中で想像しているわけだ。人間の心の中に残像が残るから映画の登場人物に恋して、掛け替えのない感動が生まれる。大林監督は「映画は四／九秒が暗闇という欠陥があったからこそ、文化になったんです。想像する余地があったから」と詩的に表現しつつ話してくれて、僕は本当に感銘を受けた。そしてそのお話を聞きながら、データとデータの間でドラマを生むシミュレーションゲームの感動を僕の中で思い出していた。

プレイヤーの錯覚を利用した『ときめきメモリアル』

こうした『ダービースタリオン』の「残像」を、僕の中でより具体的に解析できたのが『ときめきメモリアル』だった。この作品は美少女ゲームをシミュレーションゲームとして洗練させていたので、残像のストーリーテリングがより効果的に発揮されていた。

『ときめきメモリアル』は、恋愛シミュレーションゲームで高校三年間の学生生活が舞台となっている。勉学やクラブ活動などでパラメーターとして自分を磨き、意中の女の子を何度もデートに誘って最後には女の子側から告白されて結ばれるのが目的だ。特にメインヒロインの藤崎詩織（ふじさきしおり）は一世を風靡（ふうび）した。

こうしたゲームでは、普通に考えると藤崎詩織と結ばれるためには、現実世界と同じようにたくさん会うことによって、好意を持ってもらえるようにしないといけないとプレイヤーは思うだろう。そのために喜んでもらえる場所でデートをしたり、喜んでもらえるプレゼントをすることに励むわけだ。プレイヤーは学園生活を通して、藤崎詩織の反応に一喜一憂するわけである。

だが僕は、後日このゲームの内部の仕組みを攻略本で知って衝撃を受けた。実はこのゲームでカウントしているのは、「文系」、「運動」、「容姿」などの主人公のパラメーターだけなのだ。こうしたパラメーターがある水準を満たしたとき、藤崎詩織はプレイヤーを好きになってくれる。藤崎詩織と何度も会ったことやデートしたことは何も関係がないのだ。藤崎詩織と一回しか会ったことがなくても、パラメーターさえ満たしていればグッドエンドに辿り着ける。攻略本でそれを知ったとき、自分が想像していた世界とあまりに違っていたことにショックを受けた。

たとえば「あ、○○くん久しぶり」としゃべった後に、しばらくデートを繰り返した後に顔を赤らめて「○○くん、最近ちょっと素敵になってきたね」と言ってくれる。これは何度もデートを成功させたことで好きになってくれたと受け止めそうだが、実際は以前会ったときよりパラメーター数値が上がっているから、このような反応をするだけなのだ。内部的には、数値の変化でしかないのだが、プレイヤーは「あのとき会った印象がよかったのかな」と勝手に脳内でドラマを作るわけだ。この残像の蓄積が人間の脳にゲームの実情と違うドラマを生み出しているわけである。

データを生きものになぞらえた『AQUAZONE』

もう一つ重要なシミュレーションゲームを紹介しておこう。一九九三年にMacintosh用のゲームとして発売された『AQUAZONE』という観賞魚飼育シミュレーションだ。これは厳密にはゲームとはいいがたく、パソコンの中に仮想的な水槽を作り、そこでグッピーなどの観賞魚を飼育するというシミュレーションソフトである。特筆すべきは、本編とは別のデータCDが売られており、それを買ってインストールすることによって、新しい魚を水槽にぽとりと落とすことができる。CDを一〇枚買ってきたら一〇種類の熱帯魚を飼えるわけだ。さらに現実世界の時間とリアルタイムで連動しており、エサをやらなかったり酸素が減るなど飼育を怠ると魚は死んでしまう。新しい魚を水槽に入れるには、またCDからインストールしなければならない。

だがよくよく考えると、魚はデータでしかないので、本来的にいえば魚はソフトの中でコピーすれば自由に増やせるはずだ。だがプレイヤーは不思議なことに魚が死んだときに「ごめんね」と感じてしまうし、新しいCDからインストールすると、前とは違う魚であるかのように認識してしまう。『AQUAZONE』が画期的だったのはデータを生きものになぞらえることに成功したことだ。これはもちろん幻想でしかないのだが、一定のリアリティを感じさせることには成功していた。『ダービースタリオン』や『ときめきメモリアル』は残像に感情移入させたが、『AQUAZONE』はまた別種の事象そのものに感情移入させて、リアリティのレベルを引き上げている。九〇年代はこうした画期的なシミュレーションゲームがあったのだ。

僕のシミュレーションゲーム第一作『Little Lovers』

僕なりに『ときめきメモリアル』の体験と『AQUAZONE』を組み合わせようと開発したのが、一九九七年の『Little Lovers』である。『AQUAZONE』は水槽だったが、このゲームはパソコンの中に女の子の部屋があるコンセプトだ。メインキャラクターとして三人の女の子がいて、その中の一人を養子として選び、女の子との親子関係を築いていく。恋愛関係ではなく家族としてコミュニケーションを取ることが本作の楽しみ方だ。このゲームも現実の時間と同じ時間進行で進み、実際にクリアするまでリアルタイムで一年間かかる。女の子は平日に学校へ行き、夕方に家に帰ってくるので、プレイヤーは保護者として、学校であった出来事の話を聞いてあげたり、お小遣いをあげたり、物を買ってあげることができる。しかし女の子をほったらかしにすると、置き手紙だけ残して女の子は家出してしまう。そして家出すると二度と帰ってこない。しっかりと世話をすると、女の子はゲームスタートからリアルタイムで一年後自立してプレイヤーのもとから離れていく。

クリアしても家出しても、最終的に女の子との別れが待っているわけだが、写真が入ったアルバムだけは残る。空っぽになった部屋でもアルバムを見て女の子との日々を懐かしむことができるのだ。ただゲームの仕組みとしては、そのアルバムを含めて部屋をリセット（消去）した上で、また他のキャラクターを呼ぶこともできる。

なお、続編の『Little Lovers 2nd. Yui』ではキャラクターを一人に絞り、その代わりイベント数を増やしたりアニメーションを強化した。『Little Lovers 2nd. Yui』では、女の子が学校を卒業して家を離れた後の空っぽとなった部屋をアンインストールせずに残しておくと、しばらくして成長した女の子が訪ねてくるイベントがある。こうした作品は、ディスプレイの向こう側にキャラクターが実際に生きている、ということを僕なりに表現したものだ。

悲劇をもたらすランダム性

こうした育成シミュレーションゲームに、アドベンチャーゲームのノウハウを取り入れたのが、シリーズの最終作『Little Lovers SHE SO GAME』である。このゲームでは本章で述べたゲームで描くことが難しい悲劇という問題意識に対して、僕なりに解答を示したことがある。

このゲームはすごろくゲームと恋愛シミュレーションゲームを組み合わせたものだ。当時は高校生活テーブルトークＲＰＧと銘打っており、すごろくが根幹にあるが、同時にストーリーも重視した作りになっている。一人プレイだとコンピューターと対戦する形になるが、四人まで他のプレイヤーと同時プレイも可能だ。

『ときめきメモリアル』や『センチメンタルグラフティ』のように、それまでの恋愛シミュレーションゲームは、モテモテの主人公が前提だった。ゲームによっては複数人のヒロインを攻略できてしまうが、僕はそこに現実とのギャップ感を感じていた。そこで一般的な男の子を主人公にして、四人のダメでモテない高校生の男の子たちが一人のヒロインを取り合いながら、高校三年間を過ごす青春ストーリーというコンセプトに仕上げた。

基本的なゲームの流れとしては、四人の仲良し男の子グループが、サイコロでマス目を進んでいってヒロインの好感度を競い合う。マス目によっては好感度が高いのに先に告白されてしまったり、逆に対戦相手の好感度が下がるようなことを仕掛けることができる。そういった駆け引きを楽しみながら、ヒロインのハートを射止めるのが目的だ。

実は内部処理的には好感度は蓄積されており、高校三年生になった段階で、ヒロインが告白を受け入れるかどうかが決まることになっている。たとえば八〇点のラインが告白OKだとする。三年生の段階で、累積で八〇点以上になっていなければ全員に勝ち目はない。その場合だと、誰もヒロインに振り向いてもらえず、「俺たち、いい友達だったな」という感慨でエンディングを迎えるわけだ。順調に好感度が八〇点を超えていれば、四人の男の子たちでヒロインの取り合いが始まるのである。

こうしたことはプレイヤーの選択が直接的に反映されるのではなく、サイコロを振ることによって反映される。そのためサイコロの目によるランダム性は、悲劇にもなり得るし喜劇にもなり得る。サイコロの結果がドラマ描写と結びついているので、悲劇が起こったとしても、プレイヤーは運命であると受け入れることができる。シェイクスピアの『ロミオとジュリエット』をゲームで描くことはできないのかという問題意識に、僕なりにこのゲームで挑戦している。

ドラマを発生させる装置としてのゲーム

実際、このゲームは四人同時プレイすると、さまざまなドラマを生み出す。「四人みんなダメだったね、でも男同士の友情は大切だな」だったり、「あいつは最後に抜け駆けした。

許せない」だったり、「自分はダメで、あいつが告白に成功したけど、あいつだったら許してやろうか」というように。一人でプレイしても、コンピューターが操作する対戦キャラクターに親近感を抱くようにも作っている。

たとえばこの四人の主人公の中に、一人イケメン君のCPUキャラクターを入れたとしよう。そうすると攻略したいヒロインの好感度がイケメン君だけ上がる設定なので、イケメン君はヒロインをデートへと最初に誘う展開があり得る。そこで他のプレイヤーは、相手をひきずりおろすカードを手に入れて、デートを約束したイケメン君に風邪をひかせるのだ。デートに行けなくなったイケメン君は、デートをキャンセルする電話をヒロインにかけようとするが、それすらもプレイヤーが妨害工作をすることが可能だ。そうするとイケメン君に待ち合わせ場所で待ちぼうけさせられたヒロインは傷つき、イケメン君が貯めた好感度は場に放出されてしまう。そこに何食わぬ顔をした他のプレイヤーが「どうしたの?」と声をかけてヒロインに近づき、場に放出された好感度を独り占めすることができる。

こうした特殊な展開があり得ることを本作はシステムとして組み込んでいる。こうした仕組みがあるため、ストーリーとシステムが組み合わさって、さまざまな感情がプレイヤーの中で湧き起こってくるように作ってある。プレイヤーの心の中にさまざまなドラマを自動的に発生させる装置を目指したのが、この『Little Lovers SHE SO GAME』なのだ。

キャラクターが自律する『高機動幻想ガンパレード・マーチ』

僕自身、さまざまなゲームを作ってきたが、『Little Lovers SHE SO GAME』こそが、もっとも挑戦的で先鋭的な作品だと自分では評価している。だが開発においては同時に限界も感じた。『Little Lovers SHE SO GAME』は長いプレイ時間をキャラクターと対話しなければいけないので、シナリオを書いてボリュームを保つには、開発のコストパフォーマンスの悪さを感じた。そこで僕は、コミュニケーションをプログラム的に生成できないだろうかと考えた。そんなことを考えていたとき、『Little Lovers SHE SO GAME』の発売から約二〇日後に『高機動幻想ガンパレード・マーチ』が発売されたのだ。この作品は、キャラクターＡＩを大々的に取り入れており、僕は大変感銘を受けた。

発売直後には注目されなかった『高機動幻想ガンパレード・マーチ』だが、挑戦的なゲームとして現在でも語り草となっている作品である。舞台はパイロットを養成する熊本にある学校だ。突如、地球に現れた幻獣と呼ばれる謎の生命体に立ち向かうため、一人前のパイロットになるための訓練を受けなければならない。このゲームの最大の特徴は、その学校生活の自由度の高さだ。主人公やクラスメイトには、こと細かくパラメーターが設定されており、会話や訓練をするたびにそのパラメーターが変化していく。ここまではよくあるゲームといえるが、このゲームが意欲的なところは主人公とクラスメイトの関係性だけではなく、クラスメイト同士でも勝手に会話を進めて相互にパラメーターがダイナミックに変化していくところだ。脇役のキャラクターまでもが自律して動いているのがこの作品の肝だ。プレイヤーの知らない間に、あるクラスメイト同士がいがみ合っていたり、相思相愛になっていたりする。まるでプレイヤーの存在とは別に、キャラクターや世界そのものが駆動しているような印象を与えている。

キャラクター同士の関係性において、そこに詳細なシナリオが存在しているわけではない。本編のシナリオを別にすれば、キャラクターたちから返ってくるのは簡素なリアクションのみ。だが、プレイヤーはクラスメイトたちの自律した動きを垣間みているので、そうした体験を通じてさまざまなドラマを想像してしまう。まさに残像のゲームである。

『Little Lovers SHE SO GAME』でシナリオ生成に関心を持っていた僕は、この後に開発することになる『3年B組金八先生 伝説の教壇に立て!』で、実は『高機動幻想ガンパレード・マーチ』のようなＡＩの要素を入れることはできないかと構想したことがある。

『金八』にAIを入れるアイディアがあった

『3年B組金八先生 伝説の教壇に立て！』には、もともとキャラクターＡＩや、シミュレーションゲーム的な要素を入れるアイディアがあった。実現はできなかったが、もしも『金八』のゲーム続編があったら、よりキャラクターＡＩを強固にした形にしようとも考えていた。

実際の『金八』は、教育者・教育評論家の水谷修（みずたにおさむ）さんが実践していた『夜回り先生』のようなゲームに設計されている。学校や街のあちこちにいる生徒の悩みを聞いてやり、教育者として人生の方向性を導いていく。こうした大まかな流れとは別に「才能開花システム」というものが実装されている。生徒に対して「才能カード」を使うと、その生徒のさまざまな才能をステータスとして上げることができるもので、才能が開花した生徒はエンディングの卒業式でプレイヤー＝先生に「仰げば尊し」を唄ってくれる。いわば本編シナリオとは関係がないやり込み要素だ。

実は当初は授業そのものを育成ゲームのシステムとして入れるアイディアがあった。授業を通して生徒全員のレベルを上げる、ステータスが足りない生徒は補習させるなどして、生徒のステータスを成長させていく。だが実際に授業システムを導入してテストプレイをしてみると、「ステータスを上げるよりも、ストーリーを進めたいのではやく街や学校の探索がしたい」というストレスをプレイヤーに感じさせてしまう作りになっていた。そのため授業システムは廃止にして、「才能開花システム」をその代替として作ったのである。シナリオをやり終えた生徒とも交流が続くことになるので、「才能開花システム」もシミュレーションゲームの残像を狙ったものである。

本作には生徒に纏わる骨太のストーリーと、第3章で述べたように、そのストーリーを一期一会のように対峙できるイマーシブ・シアターのようなシステムが実現できている。また『ドラゴンクエスト』のように無色透明な主人公が、実は最終章で濃密な過去があることが判明し、そのまま二周目になるとプレイヤーの記憶とともに主人公は自分の記憶を思い出すかのようなムービー描写が入る。また二周目ではゲームを進めるために取得していたカードが可視化されるため、攻略が短縮される。実はその可視化によって、あらゆるカードを先手で取得することによってラスボスに立ち向かうというアイディアがあった。『Fate/stay night』のクリエイター奈須きのこさんは、「『金八』でやりたかったのは、『この世の果てで恋を唄う少女YU-NO』ですね」と言ってくれたが、まさにこれは的を射ている。『この世の果てで恋を唄う少女YU-NO』も周回プレイを繰り返して、アイテムを集めるという構造があるからだ。

さらに『金八』には、仕組み的には『ガンパレード・マーチ』のような自律したキャラクターAIを入れることができたはずだが、残念ながら着想だけで終わってしまった。そうした問題意識があったため、『金八』の発売前後に、実は『ガンパレード・マーチ』を開発した芝村裕吏さんと会って、『金八』の進化系のアイディアを話したことがあるくらいだ。特に僕が考えていたのは、キャラクターAI同士を心理学の鏡像段階理論に基づいてお互いをコピーし、影響させ合うことにより自律AI化できないかというものだが、芝村さん曰くその実装は難しいだろうと指摘された。

『金八』は、『Little Lovers SHE SO GAME』と同じくシミュレーションゲームの残像のノウハウと、アドベンチャーゲームの感情移入やストーリーのノウハウが融合することで、僕なりに満足できるクオリティの実現ができたと考えている。後はこういった残像とストーリーに加えて、AIの仕組みを導入できればビデオゲームのストーリテリングがもう一段階ステップアップするのではないだろうか。それが僕の現在に至るまでの課題であり続けている。

ゲームAIの三つの分類

現在、ゲームAIの考え方は三つある。一つは「キャラクターAI」であり、さきほどの『高機動幻想ガンパレード・マーチ』が良い例だが、脇役のキャラクターや敵モンスターをゲームの中で自律した存在にするものだ。もう一つは「ナビゲーションAI」である。これは地形と関わるもので、敵やキャラクターが地形を判断して、ちゃんと動いてくれるかどうか、目的地に辿り着いてくれるのかを座標や経路を計算してサポートする。

最後に「メタAI」である。これはキャラクターAIやナビゲーションAIの監督役として俯瞰的に制御する。たとえば『ファイナルファンタジーXV』だと、プレイヤーが戦闘中にピンチに陥った場合、もっとも近くにいるキャラクターが助けにきてくれる。こういったメタAIで状況自体を把握してくれないと、仲間全員が主人公を助けにくる不自然な展開を作ってしまう。また自動生成するサブシナリオや、自動生成するダンジョン、敵やアイテムなどの増減などを調整して、プレイヤーの緊張度の緩急をコントロールするのもメタAIの役割である。

未来のストーリーテリングの鍵は「プレイヤーAI」だ

僕はこの主流の三つのゲームAIに対して、四つ目のAIの考え方「プレイヤーAI」が必要だと考えている。これはその世界におけるキャラクターとしての振る舞いだけではなく、そのキャラクターの背後にプレイヤーがいるかのように振る舞うキャラクターAIの上位にあるAIである。プレイヤーと同等の立場にいるAIであり、わかりやすくいうと、複数のプレイヤーがキャラクターを操作するゲームにおいて、その個々のプレイヤーたちをAI化したものだ。これを導入することによって、キャラクターの背後にプレイヤーがいるような手触りや臨場感に迫れるものとなり、新しいドラマが生まれると信じている。

もしもこれが物語で導入できた世界を想像して欲しい。『Fate/stay night』には使い魔のような存在である七人のサーヴァントと、それを使役する七人のマスターがいる。従来のキャラクターAIの考え方ではサーヴァントまではキャラクターAIで表現することができるのだが、それを使役するマスターの意思までをゲーム的には表現ができない。当然ながら、プレイヤーAIにも、それぞれ固有のキャラクター性をもってしかるべきだ。ゲームの登場人物に「キャラクターの個性」と「プレイヤーの個性」という、二重の個性を与えることができるわけだ。

人が感動する物語の法則というのはある程度、固定化されている。だからこそＡＩは原理的には、感動の方向性として適正化して、唯一無二の物語を導き出すことができる。たとえば物語がリアルタイムで自動生成するのであれば、三幕構成や15のビートなど、あらゆる物語のノウハウをメタＡＩとして組み込むことが考えられるだろう。またキャラクターＡＩやプレイヤーＡＩで物語を紡ぐならば、感情曲線のノウハウをＡＩに適用することが一例として考えられるのではないだろうか。

しかもそれは本章の前半で述べたようなゲームならではの分岐を介することによって、インタラクティブで感動する物語の分岐を描くことができる。ＡＩがランダムな物語を出力するのではなく、インタラクティブに生成された、ただ一回だけの感動的な物語、しかもそこにはプレイヤーＡＩによって誰かとともに物語を体験しているかのような臨場感がある。それは奇跡の物語を体験することに他ならない。

キャラクターの上位にプレイヤーの存在を感じさせた映画

このプレイヤーＡＩを考える上で、ヒントとなる映画がある。それが『ジュマンジ：ウエルカム・トゥ・ジャングル』だ。ビデオゲームを題材にした映画はさまざまあるが、「プレイヤー」という問題に立ち向かった作品はまだまだ少ない。その中でも『ジュマンジ：ウェルカム・トゥ・ジャングル』は秀逸だった。四人の高校生たちがビデオゲームの世界に吸い込まれてしまうのだが、そこでは性別、体格、人種までも変わってしまうのだ。現実世界ではオタクでひ弱だが、ゲームでは筋肉隆々、現実世界では女子高生だが、ゲームでは小太りのオジサン、内向的な女子は華やかな女子に。こうした現実世界とゲームの世界のギャップをドウェイン・ジョンソンやジャック・ブラックなどの俳優が見事に演じており笑いを誘う。この映画には、明らかにゲームのキャラクターの背後にいるプレイヤーの存在を感じることができる。クライマックスでキャラクターたちが一致団結して切り抜けるシーンは、それぞれの奥にいるプレイヤーたちが呼吸を合わせた協力型ゲームのように感じずにはいられない。

この作品はファミリー向けのコメディ映画だが、そこには性の不一致などの自己同一性に関する社会的なテーマが込められていることが読み取れる。プレイヤーＡＩは必ずしも性や人種がそのキャラクターと一致している必要がない。この二重性こそが新しいストーリーの可能性を指し示している。

奇跡の物語を発生させた『人狼 ザ・ライブプレイングシアター』

もう一つ実例を挙げてみよう。演劇プロデューサーの桜庭未那(さくらばまな)さんが主催する『人狼 ザ・ライブプレイングシアター』という人狼ゲームを題材にしたアドリブ舞台劇がある。俳優たちはあるキャラクターを演じながら、人狼ゲームをプレイしていく。人狼ゲームはどのように展開するのか、そのキャラクターたちはその状況に直面してどのようなリアクションをするのか、観客は固唾を呑みながら見守る舞台劇だ。ゲームの展開は俳優たちにも予想できない。そのため俳優はアドリブで演技をして、いかに観客を魅せていくのか、そういった俳優たちの騙し合い、推理合戦がこの舞台劇の醍醐味だ。その中の演目の一つに『人狼TLPT×新撰組』という、新撰組を題材にしたものがあった。僕がその公演を観劇したとき、まさに奇跡の物語を目撃した。

これは近藤勇(こんどういさみ)、沖田総司(おきたそうじ)、土方歳三(ひじかたとしぞう)といった新撰組の人物たちが人狼ゲームをするという設定の舞台劇だ。新撰組のメンバーの誰かが、人狼になる薬を飲まされ、その人狼を倒すため、みんなで議論をして、最多投票となった隊士を切腹させるという設定だ。

新撰組が好きな人間からすると、これはほとんど奇跡発生装置だ。たとえば初日処刑に局長近藤勇が一三人の中から選ばれるという驚きの展開になったときがあり、僕はその公演（『人狼TLPT×新撰組』再演千秋楽）を目撃したことがある。そこで近藤勇を演じた俳優（加藤靖久氏）は、どのようなアドリブをするかというと「俺が最初の処刑でよかったよ、お前たち（新撰組の隊士）が死ぬのを見たくなかったからこれでいいんだ、わかるよな」と言うわけだ。このドラマティックなセリフに、舞台上の隊士やお客様もさめざめと泣く雰囲気に会場は包まれた。そして介錯人が選べるのだが「誰が介錯するんだ。近藤勇の首を取ったら、末代まで語りつげるぞ」と言って、「しかたがねーな」、「トシ、やっぱりお前しかいねーか」と言って土方歳三が立ち上がり近藤勇の介錯をするのだ。

　これこそが奇跡を生む物語装置なのだ。近藤勇、土方歳三といったキャラクターたちの行動に加えて、それを演じる俳優たちのプレイヤーとしてのパフォーマンスの臨場感。こうした物語はその場でリアルタイムに起きるからすごいのであって、小説のようにはじめから記述されていてはこの感動に届かない。その場でたった一度だけ起こる一期一会という奇跡を目撃することに感動するのだ。

　僕も含めてゲームクリエイターは九〇年代に、システムで発生するストーリーテリングを目指そうとして、このような感動こそを目指していたように思える。自動生成するストーリー、自動生成するキャラクターのセリフというのは、こういった奇跡的な展開を目指すべきだ。そういう意味では、プログラム記述による奇跡のストーリーから、作家が奇跡をはじめから記述している小説的なストーリーに戻したのが、二〇〇〇年代以降のアドベンチャーゲームといえるだろう。だが、新しいストーリーテリングの可能性を探るためにも、九〇年代に試みがされた奇跡を目撃する装置を作ることが、現在のゲームクリエイターの課題だと僕は考えている。

「感情移入」でも「共感」でもない「ロールプレイ」

『人狼 ザ・ライブプレイングシアター』のプレイヤーは、第2章で整理した「感情移入」と「共感」のどちらにも分類できない特殊な存在だ。なぜなら俳優は、原則的に感情移入や共感できないキャラクターであろうと、積極的に演じたいと思うからだ。性別や年齢が大幅に違っても、はたまた殺人鬼であったり動物であっても、俳優は演じることに喜びを見出す。自分とまったく違うものになりたい、これは一種の憑依であり、ある意味で感情移入すら超えた、もっとも物語に意識が没入している存在ではないだろうか。

僕はこのロールプレイというのが、あまり得意ではない人間である。イシイジロウそのままで参戦できる『アルティメット人狼』のプレイヤーにはなれても、キャラクターにならなければならない『人狼 ザ・ライブプレイングシアター』のプレイヤーになれるとは思えない。たとえば僕はテーブルトークRPGはロールプレイ要素が強いため、苦手意識がある。その点で、僕がマーダーミステリーについて違和感なくプレイできるのは、ロールプレイの必須要素がテーブルトークRPGと比べると少ないからだろう。ただし、マーダーミステリーをロールプレイと捉える人はいるし、そのように遊ぶ人もいるだろう。

一般的な人にとって、もっとも身近に感じる物語体験は、自分の経験からくる共感であり、次が経験に依存しない感情移入だ。そのように考えると、ロールプレイは少しハードルが高い気がする。テーブルトークRPGはビデオゲームに重大な影響を与えており、それまでのゲーム観を一変させた偉大なる存在だが、一般的だといわれるほど大きな市場を獲得するには至っていない。それはロールプレイの強さが人を選ぶからなのかもしれない。しかし、もしもロールプレイこそが物語の究極の体験に繋がっていたとしたら、ビデオゲームの未来が目指すべき場所は、テーブルトークRPGや舞台芸術のような、誰もが参加できるプレイヤーのロールプレイではないだろうか？

プレイヤーAIによる「ロールプレイ」のサポート

ビデオゲームはある程度のロールプレイが担保されている。他のメディアと違ってコントローラーで操作ができる特徴があり、作品によっては深く感情移入できるほどの物語性を獲得しているからだ。しかしテーブルトークRPGのプレイヤーや舞台の俳優ほどのロールプレイを獲得するには至っていないのが実情である。

僕はこのビデオゲームでプレイヤーが強固なロールプレイを獲得する鍵も、プレイヤーAIではないかと考えている。基本的にテーブルトークRPGのプレイヤーもアドリブ舞台の俳優も、それぞれが自分自身のために演じており、その結果、演じた状態で架空のキャラクター同士のコミュニケーションが発生する。だが、プレイヤーAIならば、それぞれがキャラクターを演じつつ、プレイヤー側にも演じさせようと奉仕してくれるような仕組みを作れるはずだ。たとえば『人狼TLPT × 新撰組』のプレイヤーを除いたキャラクター全員がプレイヤーAIになっており、プレイヤーにとってロールプレイをしやすい状況を作ってくれたらどうだろう。

この場合、プレイヤーにロールプレイを促すような、プレイヤーAIの振る舞いとはどのようなものだろう。最初からキャラクターになりきるのではなく、徐々に慣らしていくことはまず考えられるだろう。

一つのヒントとして『3年B組金八先生 伝説の教壇に立て！』における会話劇の仕組みが参考になるかもしれない。このゲームでは、生徒や同僚の先生に会いにいくと、キャラクター同士が会話しているシチュエーションに出くわすことが多くある。プレイヤーはその会話をただ横から聞くだけなのだが、最後にはそのキャラクターが「ね、先生はどう思います？」と、こちらに問いかけてくる。このゲームの会話劇は、基本的にテキストは表示されず、音声のみで表現されている。最初は会話を観賞している感覚なのだが、最後には会話のボールをプレイヤーに投げかけることによって、会話に参加しているような実感をプレイヤーに持たせようとした。この仕組みによって、『3年B組金八先生 伝説の教壇に立て！』は、他のゲームとは違う会話劇が作れたと自負している。ロールプレイを促す仕組みもこのようなところからヒントが得られるかもしれない。

（余談になるが、実はこの仕組みには一つ反省がある。テキストを表示せずに音声のみで表現する狙いそのものは成功したと思うが、そのせいで聴覚に障害がある人が本作を楽しめなくなったことだ。発売後そうした意見をいくつかいただいたとき、僕は大いに反省をした。クリエイターとして表現の追求は止めてはならないが、できるだけ多くの人にゲームを楽しんでもらえるように、オプションでカスタマイズできるようなアクセシビリティの柔軟性を、クリエイターはつねに心に留めておかなくてはいけない。)

未来のロールプレイは進化したデバイスで促される

プレイヤーAIが、ロールプレイをプレイヤーに促したとして、そのプレイヤーのロールプレイをコンピューターはどのように認識するのだろうか。これについてはデバイスの進化も考慮に入れてもいいだろう。VRヘッドセットは、そのうちVRとARにも対応したXRコンタクトレンズになり、未来においては、誰しもがつね日ごろからそのコンタクトレンズをつけているかもしれない。音声認識のアプリやデバイスの普及によって、コンピューターと会話することに抵抗を感じない世代はすでに登場している。こうしたデバイスの進化によって、誰もがVTuberのような仮想のアバターを自分で持っていたり、日常的にAIと対話している世界になるかもしれない。『アイアンマン』のトニー・スタークは劇中でパーソナルAIである「ジャーヴィス」と会話してサポートを受けていたが、このような時代は現実として到来してもおかしくない。

こうした世界においてはロールプレイのハードル自体が社会的に下がっているだろうし、

コントローラーだけではなく、声や身体動作、さらにはアイトラッキング、手汗、脈拍、脳波、さまざまなものがプレイヤーのロールプレイの出力先になり得る。またこれらはプレイヤーの感情や体調をも観測できるだろう。従来のビデオゲームはプレイした内容から、プレイヤーの気持ちを判定するしかなかったが、こういったものがプレイヤーが置かれている状況を正確に測定してくれるはずだ。

たとえばインタラクティブ・ミュージックというものがある。『ゼルダの伝説 ブレス オブ ザ ワイルド』、『ファイナルファンタジーXV』、『NieR:Automata』などで使われている、近年注目度が集まっている分野だ。プレイ内容によって音楽にアレンジや展開が加えられたりするもので、速く移動する操作をしたら、音楽のテンポがそれに合わせて速くなったりする。だが、インタラクティブ・ミュージックの問題としてあくまでプレイ内容から測定しているので、プレイヤーが離席したり寝てしまったことまで把握できない。だが、こうしたデバイスの進化によって検出する機器を増やすことで、それらも解消されていくだろう。

原初のストーリーテリング

『人狼 ザ・ライブプレイングシアター』ほどの感動をビデオゲームが自動生成で描けるのは一〇年先なのか、二〇年先なのかはわからない。だが、そこに辿り着くには、デバイス、キャラクターＡＩ、メタＡＩ、プレイヤーＡＩのそれぞれ高度な進化が必要で、そのためにはあらゆる物語の分析、ノウハウの蓄積が必要だ。『人狼 ザ・ライブプレイングシアター』のような一回性の物語というのは、実は古代の人類が行っていたストーリーテリングと似ているのではないか。僕はそのように考えている。

かつて文字が発明されるまで、古代の人類は口承で物語を伝えてきた。焚火を囲いながら、今日あった出来事を話し、子供たちに先祖の偉業を教え、万物の起源に思いを馳せてきた。それは現在、我々が「神話」と呼ぶものだ。そういう時代では、語り手と聞き手の距離は近く物語の相互作用が起きていたに違いない。ある意味で物語はインタラクティブに変化してきたといえるのではないだろうか。現在でも無文字社会は存在しているが、古代の世界において、すべての人類は結末の数だけ伏線を張ったり、緊張感や緩急をつけたり、もともと分岐型のノベルゲームやＡＩが紡ぐ物語、アドリブ要素のある舞台劇のようなことを人類は行っていたわけだ。

ところが文字の発明以降、物語にあったインタラクティブな要素は薄れ、自由度が狭まってしまった。物語における語り手と聞き手の相互作用は、文字に焼き付けたとき無駄になってしまう。こうした無駄を削ぎ落とし、物語はリニア（一本道）で固定的なものになってしまった。もちろん、文字の発明と、その後の活版印刷による普及によって、物語のノウハウはどんどん蓄積されていった。こうして戯曲や小説は発展を続けて、純文学やエンターテインメントとして開花し、現在に至っている。映画では三幕構成のような優れたノウハウの体系化は一つの大きな成果といえるだろう。だが、それはあくまでリニアで固定的な物語の発展であり、本来からいえば、インタラクティブな物語の爆発的進化もあり得たはずなのだ。

現在、コンピューターの発明によって僕たちが再び手にしたのは原初のストーリーテリング、つまりインタラクティブな物語なのだ。繰り返すことになるが、この新しいインタラクティブな物語に関するノウハウは、蓄積しようにもまだまだ歴史が短い。そのことに自覚的になりつつ、これからインタラクティブな物語のノウハウを集積し、ＡＩに学習させてリアルタイムに生成して、一回性を有するコンピューターによる口承の物語といえるのではないだろうか。

未来のストーリーテリングは文字化された物語とノウハウと、インタラクティブな物語のノウハウの統合を目指さなくてはいけない。

ストーリーテリングとナラティブの違い

僕が考えるストーリーテリングというのは、ストーリーテラーと受け手側の相乗効果があり、そこには本質的にはインタラクティブ性が含まれている。「ストーリーテリング」という言葉は、ビデオゲームの物語を示唆（しさ）するのに最適な表現と考えた。僕が独立した際に自分の会社の社名を「ストーリーテリング」と名付けたのは、こうした思いからだ。

だが、現在ゲーマーやゲーム開発者の間でよく使われている新しい用語で「ナラティブ」というものがある。この用語の説明をする前に、英語における「narrative」を説明しておくと、これは通常、翻訳すると「物語」となる。海外のビデオゲーム開発者の肩書きや発言などで narrative が登場したとき、それは単純に「物語」を意味している。日本語の「物語」という単語には、「物」＝「ストーリー」と、「語」＝「語り」という二つの要素があり、文脈においてどちらかの意味合いが強くなる。まさに英語における narrative もそうした意味合いがある言葉だ。だが、日本のビデオゲーム周辺で使われているカタカナの「ナラティブ」の場合は、しばしばその用法が一人歩きしていることが指摘されており、[*6]人によって意味合いが異なっている。だが、総じてその言葉を使うとき、問題意識として共通しているのがゲームプレイを通じて、それぞれのプレイヤーが独自に物語体験を喚起することを指すことが多そうだ。映画や小説にはない物語の体験、つまりこれは僕がいっている「残像」とも近い概念と捉えていいだろう。

僕も「残像」という言葉を使ったように、ビデオゲームの物語体験の特殊性を従来の言葉では上手く説明できないので、カタカナの「ナラティブ」が上手く当てはまり、広がった背景があると思う。ただ僕は僕なりにビデオゲームの物語体験の特殊性は「ストーリーテリング」と「残像」で表現していた。

そこでこの二つの範疇に収まらない、ゲームの物語体験の特殊性を考えて、僕なりに（カタカナの）「ナラティブ」という言葉をアップデートしてみたい。その上で考えるべきは、「ストーリーテリング」と「ナラティブ」は何が違うのかということだ。ストーリーテリングの概念に注目すべきなのはストーリーテラーがいることだ。ビデオゲームの場合、その物

*6　松永伸司：ナラティブを分解する――ビデオゲームの物語論
https://researchmap.jp/multidatabases/multidatabase_contents/detail/243574/38daecd3b17498c26ff1b8983533fef?frame_id=726294

語の因果律を支配する二人の神、すなわちゲームマスターとプレイヤーこそが、ストーリーテラーであると僕は考えている。

では『人狼 ザ・ライブプレイングシアター』はストーリーテリングといえるだろうか。プレイヤーは確かにいるが、ゲームマスターはそこにはいない。プレイヤー同士が主体となって物語を作っている構造がそこにはある。まさにこれこそがストーリーテリングを超えた新しい概念で説明をする必要性が出てくる現象だ。僕としては「ナラティブ」が、ゲーム特有のものならば、プレイヤー同士で起こる物語生成にこそ、この「ナラティブ」という言葉を使いたい。ストーリーテリングを超えたものを「ナラティブ」と呼ぶのが良いのではないだろうか。

人狼ゲームで発見した「トゥルーエンド」

『人狼 ザ・ライブプレイングシアター』の「ナラティブ」を目撃したことで、プレイヤーの高度なロールプレイによってゲームの本質自体が変化するぐらい面白くなることに衝撃を受けた僕は、さらに人狼ゲームを研究しようとした。デジタル、アナログの両方を含めてゲーム業界の有識者を集めた『アルティメット人狼』を主催したのは、そうした問題意識からである。

『アルティメット人狼』を通して、僕は何度も何度も人狼ゲームを繰り返した。約五〇〇試合を超えたところで、初めて気付いたことがある。それは人狼のルールが機能しなくなるエンディングだ。「勝ち負けの消失」というバグが人狼（アルティメット人狼ルール）にはあったのだ。

それは狼が一人、村人が二人、そして狩人（かりうど）が一人の四人が残る状況を作ることである。この状態のときは、昼も夜も誰も死ななくなる方法がある。村人側の立場から最適解でプレイすると、夜ターンは狩人が守る人と狼が標的にする人が、必ず同じ人になる。昼ターンは必ずお互いがお互いに投票して、その二人が別々に投票し続けたら、二対二の同票となり、処刑される人が誰もいなくなるわけだ。誰も人狼に食べられず、誰も処刑されないという状態が続く。人狼側がこの約束事を破ると人狼の存在が露呈（ろてい）し、処刑されて負けてしまうので人狼側は身動きが取れないわけだ。しかしその状態が続く限り、村にかりそめの平和が永遠に訪れるわけだ。僕はこれは人狼ゲームにおける一種のトゥルーエンドだと感じた。

物語の千日手(せんにちて)を目指して

この人狼ゲームにおける僕が発見した状況は、将棋の「千日手」と極めて似ている。千日手とは、プレイヤーがお互いに他の手を指すと不利になってしまうので、同じ手順を繰り返して指さなければいけない状況のことだ。通常の将棋ルールにおいて、この状況になってしまうと指し直しが行われる。

ある意味で極めて稀な引き分けという状況を作っているわけだが、将棋のルールにおいては引き分けに価値はない。必ずどちらかが勝利しなければならないのが現在の将棋のルールだ。しかし、ストーリーにおいては引き分けというのは価値になり得るものではないだろうか。

そもそも将棋のドラマはどこで発生するのだろう。将棋のドラマは盤上の駒がストーリーを作るわけではない。たとえば飛車が王将の犠牲になって感動した、みたいなことを観客が感じるだろうか。そうではなく、観客が将棋のドラマをどこにみているかというと、棋士と棋士との勝ち負けのドラマとしてみているのだ。棋士、つまりプレイヤー側にドラマがある。ここにプレイヤーＡＩを取り入れる鍵がある。

たとえばある将棋の対戦で、棋士同士が名人のお父さんと息子という親子の設定で、「将棋で負けたほうは殺されてしまう」という設定があったとしよう。そこでどのようなドラマが生まれるかというと、お父さんが息子を生かすためにわざと負けるか、それとも息子はお父さんの才能を生かすために自分がわざと負けるか、という展開だ。だが、そのときに千日手の状況を作り、対戦することを永遠に続けていけば、その指している間の分だけ二人は生きていける。これが千日手でドラマを生成することができる考え方だ。

人狼ゲームにおいて、人狼は人間を食べなくてはいけない、人間は人狼を処刑しなくてはいけない。殺し合うことがゲームルールにおいて当然とされている仕組みであり、通常はこのルールからは逃れることはできない。「殺し合うことは悲しい世界だな」と感じながら、このゲームをプレイしているときに、この世界の中に殺し合わないルートを発見したらどうだろう。それは、あらゆる複数のエンディングを一つにまとめて、矛盾なく救済するという高次元のエンディングと位置づけられないだろうか。

将棋にしろ人狼ゲームにしろ、そういった対戦ゲームは勝ち筋がたくさんあるがゆえに、普通は終戦や休戦という可能性は探らない。だが、千日手となり永遠にその状態が続くとなると、和平交渉で終戦するルートが開かれる可能性があるわけだ。

プレイヤーAIを背景にしたキャラクターたちのせめぎ合いがロールプレイを通じて織

り成す物語、しかもそれは自動生成がされてランダム性があり悲劇にも転び得る。その物語の中でプレイヤーは千日手とも呼べる引き分けに偶然にも辿り着く——まさにそれは奇跡を体験する物語。これこそがビデオゲームの物語が辿り着くべき僕が考えるストーリーの未来の一つだ。

来たるべきAI時代のストーリーとの向き合い方

ＡＩが人々の仕事を奪うといわれている。すでに述べた通り、現状のＡＩは言語の文脈理解が苦手だ。ある程度のパターンや数字に置き換えられるものはＡＩが得意とするところだが、物語はＡＩにとって抽象的なものであり、高度なパターン解析が必要になってくる。そういう意味では楽観的な見方かもしれないが、ストーリーに関連する仕事は、ＡＩ時代になっても長らく聖域であり続けるかもしれない。しかし『コンピュータが小説を書く日』や『ぱいどん』が示したように、ゼロイチの基礎的な部分、イチヒャクの基礎的な部分はＡＩが代替する可能性はあり得る。ＡＩが出力したものを人間がチューニングするのが、未来におけるストーリー関連のメインの仕事になる時代がやってくるのかもしれない。そのチューニングの作業や最終的なジャッジをするには、三幕構成やリライティングのノウハウが必須といえるだろう。

　実のところ僕自身、クリエイティブの仕事の多くがＡＩに置き換わるとどのように産業や経済構造が変化するのかは、ＳＦ的な想像の域を出ない。だが現時点で揃っているさまざまな要素から、ストーリーがどのように変化していくのか、それ自体は推測することができる。まさにこの章は僕なりに未来で起きるストーリーはどのようなものかを予想してみた。とはいえ、確信があって書いているというよりも、僕のクリエイターとしての想像力を羽ばたかせて書いた思考実験という趣が強いのは事実だ。実際は完全に見当外れで、ここで書かれたこととはまったく違った未来が待っているかもしれない。

　だが大事なのは、クリエイターは変化していかなくてはいけないということだ。これは決して暗い話ではなく、変化した先には新しい肩書き、新しい分野の第一人者になっている可能性があることを念頭に置こう。まさにビデオゲーム産業が本格的に立ち上がったとき、七〇年代、八〇年代に第一人者が現れたこと、近年ならばYouTubeからYouTuber、VTuberという数々のスターが現れたことを思い出そう。

　昨年、僕は『ＩＰのつくりかたとひろげかた』という自著を出すことができた。ＩＰの分類や分析、そしてメディアミックスの作法などを書いたものだが、この本をきっかけにアメリカのトランスメディア・ストーリーテリングの第一人者であるジェフ・ゴメスさんと出会うことができた。トランスメディア・ストーリーテリングとは、映画、小説、マンガ、Web、ゲームなど、さまざまなメディアを横断しながら、ストーリーや世界観を連結させてユーザーに体験させる手法だ。メディアミックスは個々に独立した要素が強いが、トランスメディア・ストーリーテリングはそれぞれが結びついており、整合性があるのが特徴だ。ジェフ・ゴメスさんは『パイレーツ・オブ・カリビアン』や『アバター』などのトランスメディア・ストーリーテリングの施策を牽引しており、トランスメディア・プロデューサーという肩書きを作った人物である。

驚いたことに、ジェフ・ゴメスさんは七〇年代の『人造人間キカイダー』におけるメディアミックスに感銘を受けたという。ハリウッドのトランスメディア・ストーリーテリングに、日本の東映が影響を与えていたのだ。この出会いをセッティングしてくれた立命館大学の中村彰憲（なかむらあきのり）教授とともに議論を進めると、今後はトランスメディア・プロデューサーだけではなく、トランスメディア・クリエイターが出てくるのではないかという話になった。

トランスメディア・ストーリーテリングが今後、スタンダードになるほどの大きな動きになるのかはわからないが、こうしたこともクリエイターが時代とともに変化していかなくてはいけない一例だと感じた。

僕が提示したストーリーの未来像で、クリエイターはどのように変化するのか想像して欲しい。そしてそのときあなたこそが未来で尊敬される第一人者となっているかもしれない。本書が新しい時代に挑戦するクリエイターやクリエイター志望の方の助けになることを願ってやまない。

あとがき

まずこの本を最後まで読んでいただいて感謝します。

今回の『ストーリーのつくりかたとひろげかた』は前作『IPのつくりかたとひろげかた』の前編にあたる。本来は基礎編『ストーリー本』、応用編『IP本』だったところ、星海社の太田克史(おおたかつし)さんから「IPに関する本はまだ世に存在していないので、IPのほうを先に出しましょう」という提案によりこの順序での発売となった。

ベースはある開発会社向けに行った以下の全六回講座だ。

第一回　『ストーリーって何？』
第二回　『三幕構成とセットアップの重要性』

第三回　『「アイアンマン」を教科書に構成を学んでみよう』
第四回　『「君の名は。」と「天気の子」を語ってみよう（感情曲線の分析）』
第五回　『マーベル・シネマティック・ユニバースから学んでみよう』
第六回　『リメイク・リブートから学ぶ（スター・ウォーズ／スター・トレック／ガンダムUC／宇宙戦艦ヤマト2199）』

この本は第一回〜第四回の講座内容を中心に大幅に加筆、再構成したものだ。

しかし、この順序変更により『ストーリーのつくりかたとひろげかた』は前作『IPのつくりかたとひろげかた』で調査した知見をさらに深化させる内容になったと思う。また、「まえがき」に書いたように映画からゲーム、リアルイベントを縦断し、未来のストーリーまで思考実験をした稀有なノウハウ本になったと思う。

僕自身はクリエイターなので、このようなノウハウ本や講演に割く時間があれば、物作りに時間を割いたほうがよいと考えていた。しかし、あるゲームライターさんたちが集まる会で、是非皆さんでこういったノウハウ本、ゲームの歴史解説やゲームメカニクスの解析本を作ってくれないかと話を振ってみた。その時の返答は、このようなノウハウを深掘りした内容の本や記事は、通常のゲームタイトル紹介記事に対してコストパフォーマンスが低くなかなか手を出しづらいとのことだった。この話を聞いて、クリエイターとしての自身の創作時間を削ってでもこの本を書く価値があると確信した。

だからこそ今回はその問題意識に強く向き合っている。『IPのつくりかたとひろげかた』同様に今作も執筆協力いただいたライターの福山幸司（ふくやまこうじ）さんと徹底的にゲームの歴史やメカニクスの文献の検証を行った。ゲーム、映画ライターとして活躍されている福山幸司さんの知見なくして、今回の『ストーリーのつくりかたとひろげかた』は完成しなかったと思う。

今回のような本には、ゲームやエンターテインメントの歴史の認識を深めたり（僕が業界に入った二〇数年でもすでに歴史改変は起こっていると感じている）、車輪の再発明（過去のノウハウを知らずに同じ発明をしてしまう非効率性）をわずかでも少なくできる可能性がある。それは業界にとってとても重要なことだと思うのだ。

今回、作品として取り上げさせていただいた『3年B組金八先生 伝説の教壇に立て！』、『428 ～封鎖された渋谷で～』、『TRICK × LOGIC』、『SECRET CASINO』、『CATSと蘇ったモリアーティ』のプロジェクト関係者の方々に心から感謝したい。これらの作品は僕が主要スタッフとして参加した作品だが、関わったすべてのスタッフ・キャストの血潮が通った共同制作作品といえるものだと考えている。

この本が、これからのストーリーを考えるプロデューサー、クリエイター、そして業界関係者のヒントになることがあれば幸いだと思う。

最後に、執筆にご協力いただいたライターの福山幸司さん、書籍を出版まで導いていただいた星海社の太田克史さん、片倉直弥（かたくらなおや）さん、磯邊友香（いそべゆか）さんに心から感謝を申し上げます。

二〇二一年コロナ禍の中、虚構と現実の狭間で一喜一憂しながら。

イシイジロウ

ストーリーのつくりかたとひろげかた

大ヒット作品を生み出す物語の黄金律

二〇二一年四月二一日 第一刷発行

著者 イシイジロウ

発行者 太田克史
編集担当 片倉直弥
編集副担当 磯邊友香
ライティング 福山幸司
発行所 株式会社星海社
〒一一二-〇〇一三
東京都文京区音羽一-一七-一四 音羽YKビル四階
電話 〇三-六九〇二-一七三〇
FAX 〇三-六九〇二-一七三一
https://www.seikaisha.co.jp/
発売元 株式会社講談社
〒一一二-八〇〇一
東京都文京区音羽二-一二-二一
(販売) 〇三-五三九五-五八一七
(業務) 〇三-五三九五-三六一五
印刷所 凸版印刷株式会社
製本所 株式会社国宝社

アートディレクター 吉岡秀典(セプテンバーカウボーイ)
デザイナー 山田知子(チコルズ)
フォントディレクター 紺野慎一
校閲 鷗来堂

ISBN978-4-06-522809-8
Printed in Japan

178
SEIKAISHA SHINSHO

30 投資家が「お金」よりも大切にしていること 藤野英人

人生で一番大切なカネの話をしよう

お金について考えることは自らの「働き方」や「生き方」を真剣に考えることと同義です。投資家・藤野英人が20年以上かけて考えてきた「お金の本質とは何か」の結論を一冊に凝縮。

35 物語の体操 大塚英志

「生きる手だて」としての物語作法入門

徹底して実用的な物語入門書の形をかりながら、「なぜ人は物語るのか」という問題を根本から考え直すためにかかれた批評書、待望の復刊。

38 百合のリアル 牧村朝子

女に生まれて、女を愛して……。

セクシュアルマイノリティの知識は、現代人の基礎教養だ！女の子同士はどこで出会うの？　どうやってセックスをするの？　国際同性婚した著者が語る、「女の子同士」のリアル。

星海社新書ラインナップ

171　移動・交易・疫病　命と経済の人類全史　玉木俊明

人類の移動は歴史をどう変えてきたのか⁉

新型コロナ禍で人の移動が激減したアフターコロナの世界像を、経済的・文化的に人類の進歩に不可欠だった「人の移動」を歴史的に捉え直すことで、新しい角度から考察する一冊。

172　NHK「勝敗を越えた夏2020 ～ドキュメント日本高校ダンス部選手権～」高校ダンス部のチームビルディング　中西朋

「同調」と「個性」は両立できるのか？

部活ダンスから紐解く、日本の未来のチーム像。
高校生に寄り添い続けた200時間に及ぶ密着取材、ここに完全収録。

173　弱い男　野村克也

野村克也、最後のぼやき

「老い」「孤独」「弱さ」に向き合って生きてきた野村克也が、死の直前に語った10時間に及ぶ貴重なインタビューを収録。

一流の「弱さ」に満ちた最後のメッセージ。

次世代による次世代のための

武器としての教養

星海社新書

星海社新書は、困難な時代にあっても前向きに自分の人生を切り開いていこうとする次世代の人間に向けて、ここに創刊いたします。本の力を思いきり信じて、みなさんと一緒に新しい時代の新しい価値観を創っていきたい。若い力で、世界を変えていきたいのです。

本には、その力があります。読者であるあなたが、そこから何かを読み取り、それを自らの血肉にすることができれば、一冊の本の存在によって、あなたの人生は一瞬にして変わってしまうでしょう。思考が変われば行動が変わり、行動が変われば生き方が変わります。著者をはじめ、本作りに関わる多くの人の想いがそのまま形となった、文化的遺伝子としての本には、大げさではなく、それだけの力が宿っていると思うのです。

沈下していく地盤の上で、他のみんなと一緒に身動きが取れないまま、大きな穴へと落ちていくのか？　それとも、重力に逆らって立ち上がり、前を向いて最前線で戦っていくことを選ぶのか？

星海社新書の目的は、戦うことを選んだ次世代の仲間たちに「武器としての教養」をくばることです。知的好奇心を満たすだけでなく、自らの力で未来を切り開いていくための〝武器〟としても使える知のかたちを、シリーズとしてまとめていきたいと思います。

2011年9月

星海社新書初代編集長　柿内芳文